JN138251

消化器内視鏡用語集

第5版

編集　日本消化器内視鏡学会用語委員会

一般社団法人　日本消化器内視鏡学会

消化器内視鏡用語集

発　行　2023 年 2 月 25 日　第 5 版第 1 刷
編　集　日本消化器内視鏡学会用語委員会
発行者　医学図書出版株式会社
　　　　代表取締役　鈴木文治
　　　　〒 113-0033　東京都文京区本郷 2-29-8　大田ビル
　　　　電 話：03-3811-8210
　　　　FAX：03-3811-8236
　　　　URL：https://www.igakutosho.co.jp
印　刷　株式会社　木元省美堂
製　本　株式会社　フォーネット社

ISBN：978-4-86517-519-6

日本消化器内視鏡学会用語委員会（『消化器内視鏡用語集』刊行時）

■第5版（2022年10月現在）

担当理事	山野泰穂	札幌医科大学医学部　消化器内科学講座・消化器内視鏡センター
委員長	松田浩二	静岡医療センター　消化器内科
委員（50音順）	石原　立	大阪国際がんセンター　消化管内科
	大塚和朗	東京医科歯科大学医学部附属病院　光学医療診療部
	岡　志郎	広島大学大学院医系科学研究科　消化器内科学
	岡野直樹	東邦大学医療センター大森病院　消化器内科
	小田一郎	総合川崎臨港病院　内科
	堅田親利	京都大学大学院医学研究科　RWD研究開発講座
	潟沼朗生	手稲渓仁会病院　消化器病センター
	加藤元彦	慶應義塾大学医学部　消化器内科
	河村卓二	京都第二赤十字病院　消化器内科
	栗林志行	群馬大学医学部附属病院　消化器・肝臓内科
	小田島慎也	帝京大学医学部　内科学講座
	炭山和毅	東京慈恵会医科大学　内視鏡医学講座
	田中聖人	京都第二赤十字病院　消化器内科
	中井陽介	東京大学医学部　光学医療診療部
	堀田欣一	県立静岡がんセンター　内視鏡科
	矢野智則	自治医科大学　内科学講座　消化器内科学部門

□第1版（所属は当時；1989年11月）

委員長	城所　仂	国際親善病院
委員（50音順）	小越和栄	県立がんセンター新潟病院　内科
	神津忠彦	東京女子医科大学　消化器内科
	小林世美	愛知県がんセンター病院　消化器内科部
	島田宜浩	島根医科大学　消化器内科
	中村孝司	帝京大学市原病院　第3内科
	丹羽寛文	防衛医科大学校　第2内科
	福富久之	筑波大学臨床医学系　内科

	藤野雅之	山梨医科大学　第1内科
	山川達郎	帝京大学溝口病院　外科

□第2版（所属は当時；1997年4月）

委員長	小越和栄	県立がんセンター新潟病院　内科
副委員長	藤野雅之	山梨医科大学　第1内科
委員（50音順）	遠藤光夫	東京医科歯科大学　第1外科
	神津忠彦	東京女子医科大学　医学教育学
	酒井義浩	東邦大学大橋病院　消化器診療部
	峯　徹哉	東京大学　第4内科
	山川達郎	帝京大学溝口病院　外科
	山下克子	東京女子医科大学成人医学センター

□第3版（所属は当時；2011年3月）

担当役員	西元寺克禮	北里大学名誉教授
委員長	峯　徹哉	東海大学　消化器内科
委員（50音順）	井上晴洋	昭和大学横浜市北部病院消化器センター
	岩男　泰	慶應義塾大学包括先進医療センター
	松田浩二	東京慈恵会医科大学青戸病院　内視鏡部

□第4版（所属は当時；2018年4月）

担当理事	峯　徹哉	東海大学医学部医学科内科学系　消化器内科
委員長	松田浩二	聖マリアンナ医科大学横浜市西部病院　消化器内科
委員（50音順）	石原　立	大阪国際がんセンター　消化管内科
	大塚和朗	東京医科歯科大学医学部附属病院光学医療診療部
	岡　志郎	広島大学病院　消化器・代謝内科
	小田一郎	国立がん研究センター中央病院　内視鏡科
	小田島慎也	帝京大学医学部　内科学講座
	堅田親利	北里大学医学部　消化器内科学
	加藤元彦	慶應義塾大学医学部　消化器内科

河村卓二　京都第二赤十字病院　消化器内科
栗林志行　群馬大学医学部附属病院　消化器・肝臓内科
炭山和毅　東京慈恵会医科大学　内視鏡科
田中聖人　京都第二赤十字病院　消化器内科
中井陽介　東京大学医学部　消化器内科
堀田欣一　静岡県立静岡がんセンター　内視鏡科
安田一朗　帝京大学医学部附属溝口病院　消化器内科
矢野智則　自治医科大学　内科学講座　消化器内科学部門
良沢昭銘　埼玉医科大学国際医療センター　消化器内科

刊行によせて

日本消化器内視鏡学会用語委員会の編集による「消化器内視鏡用語集」は，1989 年に第 1 版を刊行して以来，1997 年に第 2 版，2011 年に第 3 版，2018 年に第 4 版と版を重ねてきましたが，この度 4 年ぶりに改訂第 5 版を刊行することが出来ました．歴史を少しだけ遡りますと，第 4 版刊行時の担当理事であった故 峯　徹哉理事のあと，五十嵐良典理事が担当理事を引き継がれ，2021 年 7 月からは山野泰穂理事が担当理事をお務めです．そして，用語委員会の委員長は，第 4 版刊行時から継続して松田浩二先生が担当されています．

近年の消化器内視鏡医学の進歩はめざましく，新たな技術や概念が次々と生まれています．用語集の編集および改訂にあたっての基本方針としていくつかの点がありますが，その最たるものは，世界の消化器内視鏡のトップリーダーである我が国から統一した用語を国内外に発信し浸透させること，そして，消化器内視鏡関連の論文作成に役立てることです．第 4 版からは，Japan Endoscopy Database（JED）Project の内容も盛り込まれています．この用語集が，日本消化器内視鏡学会の会員はもとより，国内外の消化器内視鏡に携わる方々に使用され，統一された用語で議論や論文作成が行われることを期待しています．

いずれにしても，この用語集の改訂作業は，用語委員会の松田浩二委員長をはじめとする委員各位の献身的な努力なしには成し得なかったことは明白です．この場をお借りして，用語委員会の松田委員長はじめ委員の先生方，そして製作に協力された皆様のご尽力に深甚なる謝意を表させていただきますとともに，この用語集第 5 版が，日本のみならず世界の消化器内視鏡医学に携わる方々の診療・研究・教育において寄与することを願っております．

2022 年 10 月

日本消化器内視鏡学会
理事長　田中　信治

第5版　序

「消化器内視鏡用語集」初版は，1989年11月に，日本消化器内視鏡学会用語委員会（城所仂委員長）により編集・刊行された．その8年後に第2版（小越和栄委員長）が，その14年後に第3版（峯徹哉委員長）が刊行された．その際に，筆者は超音波内視鏡担当としてその編集に携わった．その7年後に，第4版が出版されてから，はや4年が経過した．2年に1回程度の周期でアップデートしていくことを前回の序文にも述べさせていただいたが，未曾有のコロナ禍のため遅延したことを深くお詫び申し上げる．

さて，今回の作業も，前回同様，食道・胃・小腸・大腸・胆膵の5つの分野で，各々3名のエキスパートの委員を，さらにはJED Project委員長の田中聖人理事をスーパーバイザーとして指名し，計17名体制でおこなった．今回の改訂に際し，多大なる情熱を持って臨み，昼夜尽力して下さった委員の皆様に，心より御礼申し上げる．

そして，今回の改訂内容は，過去4年間のアップデートが中心となった．診断的・治療的内視鏡に関する様々な用語の追加・改訂，新しいガイドラインやがん取扱規約への対応が中心となった．また，AI（Artificial Intelligence）に関しても，初収載することにした．

また，前回からの踏襲である汎用性に沿った用語・略語の掲載順番の再確認のみならず，本邦から新しく発表された英語の内視鏡用語をいち早く収載することにより，それに準じた用語が，より正確に検索されるための試みを初めておこなった．これから英語論文を執筆する際には，是非とも参考にしていただきたい．

なお，残念ながら，interventional EUSの用語に関しては，次回のアップデートに委ねることにした．

そして，ホームページでの用語集の検索方法も改訂される予定である．アップデートされた際には，新しい検索方法も是非とも試していただきたい．なお，今回の改訂では，オンラインのPDFのみでよいのではという意見もあったが，最終的には，オンラインのPDFと出版物との両方で刊行することとした．これに関しては，学会員の先生方および関連するコメディカルの方々の忌憚の無い御意見も是非とも伺いたい．

さて，海外の動向としては，世界内視鏡学会（World Endoscopy Organization: WEO）の役職に，田尻元理事長が president，斎藤豊先生が secretary general，森悠一先生が AI ad-hoc committee の chair となり，さらには，筆者は，Documentation and Standardization の単独 chair の指名を受けた．今こそ，日本の内視鏡の用語の国際化には絶好の時期を迎えたと感じている．

最後に，今回の改訂に際し，多大なる御指導・御助言いただいた山野泰穂担当理事及び田中信治理事長に感謝の意を表す．そして，本用語集が，消化器内視鏡に携わる多くの方の手助けとなれば幸いである．

2022年10月

日本消化器内視鏡学会用語委員会
委員長　松田　浩二

第1版 序

わが国における消化器内視鏡は，昭和25年（1950年）胃カメラの発明以来技術的進歩と普及の一途を辿ってきた．今では医学の分野で世界をリードする数少ない領域の一つとなっている．

それ故，日本消化器内視鏡学会の役割が極めて重要であるにもかかわらず，言葉の問題から欧米との円滑な交流がともすれば阻害されがちな現状である．

内視鏡用語に関しても，日本独自に慣用されており論文にも記載されている用語であっても，外人にとって難解なものや誤って解釈されている場合も時にある．また日本で小数グループの内視鏡医が使用している用語もある．さらに現在用いられている用語の中には病理学者との合議により検討すべきものも含まれている．

これらを整理し現状において内視鏡用語として用いうるものを英文対訳を付してまとめたものが本書である．

この用語集を作製するに先立ち，日本消化器内視鏡学会用語委員会が1981年春の総会の承認を経て編成され，第1回の委員会が同じ年の6月開催された．その後各委員が細部を分担し，それぞれの部門は専門医よりなる小委員会が編成され，そこで充分検討した後中央委員会に持ちよったデータはさらにここで充分時間をかけて慎重に検討された．

その討議のなかで内視鏡所見の表現にもっともふさわしい日本語を選び，それにふさわしい欧文表現を選定した．時には1語の採用に数時間をかけ，また数回にわたる討議を重ねたことも少なくなかった．また欧文表現で疑義のある場合は欧米の専門家の意見を参考とした．

それらの詳細を掲載することはできなかったが，読者の理解を助けるため極力関係する用語の註として説明を加えた．

その中でもっとも苦心したのはOMED（Organisation Mondiaaled' Endoscopie Digestive, the World Society of Digestive Endoscopy）の用語委員会においてすでに刊行している用語集と基本線を合わせることであった．OMEDの用語ではそれぞれの用語にコード番号が付してありコンピュータ処理のしやすいように整理されている一方，疾患の病態生理に深く立ち入り内視鏡用語として必ずしもふさわしくないものも含まれている．委員会ではそれらを充分検討し，その採否を決定した．

この用語集の基本姿勢を挙げておく．

1) 内視鏡用語として必要不可欠のもののみを採りあげる．また内視鏡関係の和文および欧文の論文作製に役立つ用語集とする．

2) 混乱のおそれのある用語については好ましい使い方を示す．またそれらはできるだけ註によって説明を補足した．

3) 日本語を基本とし，これに対応する英語を記載した．ドイツ語，ラテン語その他は慣用されている用語のみを記載した．

4) 現在特定のグループのみ用いられている用語については，是々非々で採用を決め，その根拠はできるだけ註の中で説明を加えた．

5) 今回収録した用語は固定したものではない．用語委員会は今後も継続的に審議を重ねて，その時代に応じた適切な用語を選択していくことになると思う．

この用語集は現時点における消化器内視鏡用語を整理したもので，部分的には何度かにわたり学会誌に掲載して広く会員諸氏の御意見をいただいた後まとめたものである．

最後に1981年6月から1989年8月までの8年以上の長期にわたり，当初は2カ月に1度，途中からは1カ月に1度毎回長時間にわたり真摯な討議を重ね，多忙な勤務を犠牲にして本用語集の完成に一方ならぬ努力を重ねられた，日本消化器内視鏡学会用語委員会の熱意あふれる委員各位に敬意を表するとともに深甚の謝意を呈する．

また巻末に，OMED用語委員会委員長マラトカ教授の解説とともに，OMEDの用語集第2版のコード付き各用語の索引を掲載することができたのは望外の喜びである．これによって，日本とOMEDの用語委員会が密接な関係にあることが理解されるであろう．

平成元年10月

日本消化器内視鏡学会用語委員会
委員長　城所　仂

目　次

消化器内視鏡解剖学的用語 —— 2

Ⅰ．消化管の壁構造…… 2
Ⅱ．口腔…… 2
Ⅲ．鼻腔…… 2
Ⅳ．咽頭…… 4
Ⅴ．喉頭…… 4
Ⅵ．食道…… 6
Ⅶ．胃…… 6
Ⅷ．小腸…… 8
Ⅸ．大腸…… 10
Ⅹ．胆道…… 14
Ⅺ．膵臓…… 20
Ⅻ．胸腔・腹腔…… 22

超音波内視鏡解剖学的用語 —— 36

Ⅰ．食道…… 36
Ⅱ．胃…… 36
Ⅲ．十二指腸…… 40
Ⅳ．膵臓…… 42
Ⅴ．胆道…… 42
Ⅵ．大腸・直腸…… 42
Ⅶ．脈管系…… 44

内視鏡所見に関する基本用語 —— 48

総論…… 48
Ⅰ．消化管…… 48
Ⅱ．胸腔・腹腔および縦隔…… 66
Ⅲ．超音波内視鏡に関する基本用語…… 72

各論……………………………………………………………………………………　80
Ⅰ．食道……………………………………………………………………………　80
Ⅱ．胃………………………………………………………………………………　92
Ⅲ．小腸……………………………………………………………………………100
Ⅳ．大腸……………………………………………………………………………110
Ⅴ．胆道……………………………………………………………………………124
Ⅵ．膵臓……………………………………………………………………………132
Ⅶ．胸腔鏡・腹腔鏡………………………………………………………………142

内視鏡手技に関する基本用語――――――――――――――――――――162
Ⅰ．診断的内視鏡…………………………………………………………………162
Ⅱ．超音波内視鏡検査……………………………………………………………170
Ⅲ．内視鏡治療……………………………………………………………………176
Ⅳ．内視鏡器具……………………………………………………………………184

和文索引――――――――――――――――――――――――――――――195
欧文索引――――――――――――――――――――――――――――――229

消化器内視鏡用語集

消化器内視鏡解剖学的用語

Ⅰ．消化管の壁構造[1)]　mural architecture, wall layer

粘膜	mucosa
粘膜筋板	muscularis mucosae
粘膜下層	submucosa
食道腺	esophageal gland
ブルンネル腺	Brunner's gland
固有筋層	muscularis propria
漿膜下層	subserosa
漿膜	serosa
外膜	adventitia

Ⅱ．口腔（図 1）　oral cavity

頬粘膜	buccal mucosa
上歯肉	upper gingiva
下歯肉	lower gingiva
切歯	incisor
硬口蓋	hard palate
舌[1)]	tongue
口腔底	floor of mouth

Ⅲ．鼻腔　nasal cavity

外鼻孔	external/anterior naris（複数形：nares）, nostril
鼻中隔	nasal septum
上鼻甲介	superior turbinate
中鼻甲介	middle turbinate
下鼻甲介	inferior turbinate
鼻前庭	vestibule of nose
固有鼻腔	nasal cavity
上鼻道	superior meatus

Ⅰ．消化管の壁構造

1）消化管の基本的な壁構造は粘膜，粘膜下層，固有筋層，漿膜下層，漿膜からなる．食道には漿膜はなく，外膜に覆われている．消化管の粘膜上皮は円柱上皮であるが，食道ではほとんど重層扁平上皮からなる．

Ⅱ．口腔（図1）

・舌

1）有郭乳頭より前の舌背面と舌縁（舌前 2/3）および下面（舌腹）．

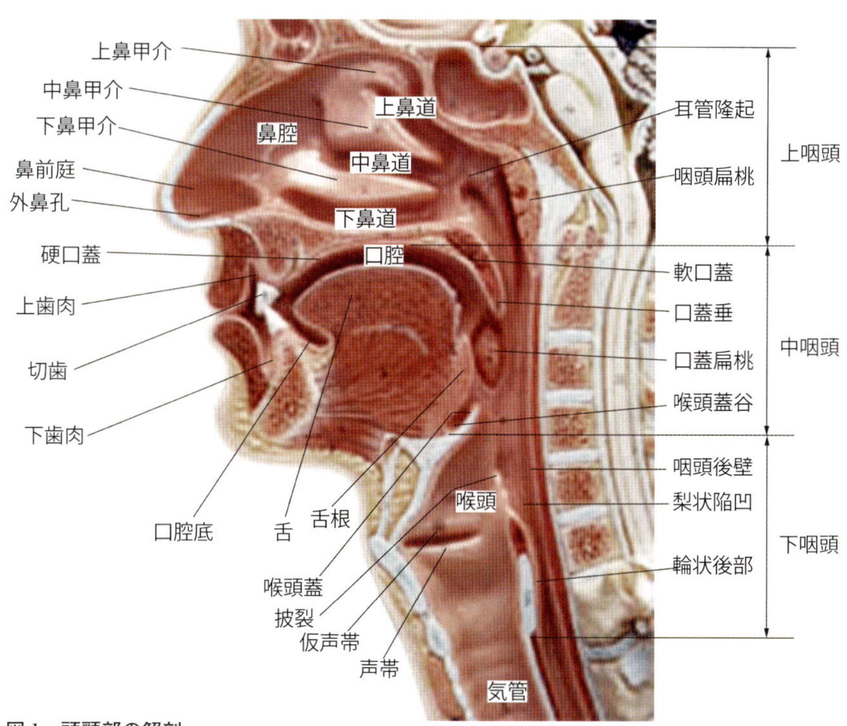

図1　頭頸部の解剖

固有鼻腔（つづき）	
中鼻道	middle meatus
下鼻道	inferior meatus
総鼻道	common meatus

Ⅳ．咽頭 pharynx

上咽頭	nasopharynx
耳管隆起	torus tubarius
咽頭扁桃	pharyngeal tonsil
中咽頭[1)]	oropharynx
前壁	anterior wall
舌根[2)]	base of tongue
喉頭蓋谷	vallecula
側壁	lateral wall
口蓋扁桃	palatine tonsil
扁桃窩	tonsillar fossa
口蓋弓	palatine arch
舌扁桃溝	glossotonsillar sulci
後壁	posterior wall
上壁	superior wall
軟口蓋	soft palate
口蓋垂	uvula
下咽頭[3)]	hypopharynx
咽頭食道接合部（輪状後部）	pharyngoesophageal junction (postcricoid area)
梨状陥凹	piriform sinus, pyriform recess, pyriform sinus, piriform recess, piriform fossa
咽頭後壁	posterior pharyngeal wall

Ⅴ．喉頭 larynx

声門上部	supraglottis
喉頭蓋	epiglottis
披裂喉頭蓋ひだ	aryepiglottic fold
披裂	arytenoid

Ⅳ．咽頭（図 1）

・中咽頭

1）硬口蓋と軟口蓋の移行部から喉頭蓋谷底部に相当する高さまでの範囲.

・舌根

2）有郭乳頭より後方の舌または舌後方 1/3.

・下咽頭

3）喉頭蓋谷底部に相当する高さから輪状軟骨の下縁に相当する高さまでの範囲.

声門上部（つづき）	
仮声帯	ventricular bands
声門	glottis
声帯	vocal cords
前連合	anterior commissure
後連合	posterior commissure
声門下部	subglottis

Ⅵ．食道　esophagus

頸部食道	cervical esophagus
胸部上部食道	upper thoracic esophagus
胸部中部食道	middle thoracic esophagus
胸部下部食道	lower thoracic esophagus
腹部食道	abdominal esophagus
食道・胃接合部[1)]	esophagogastric junction
扁平円柱上皮接合部[2)]	squamocolumnar junction, Z-line

Ⅶ．胃[1)]　stomach

噴門	cardia
穹窿部，胃底部[2)]	fornix, fundus
胃体部	body, corpus
体上部	upper body
体中部	middle body
体下部	lower body
胃角	angulus, incisura
幽門洞，前庭部	antrum
幽門前部[3)]	prepyloric region
幽門	pylorus
小彎	lesser curvature, lesser curve
大彎	greater curvature, greater curve
前壁	anterior wall
後壁	posterior wall
吻合部	anastomosis
胃小区	gastric area
集合細静脈	collecting venule

Ⅵ．食道

・食道・胃接合部

1）内視鏡では，食道下部柵状血管の下端をもって，食道・胃接合部とする．柵状血管が同定できない場合には，胃の縦走ひだの口側終末部をその部位とする．

・扁平円柱上皮接合部

2）下部食道から胃にかけての部分における，扁平上皮と円柱上皮の移行部.

Ⅶ．胃

1）「胃癌取扱い規約．第15版」（金原出版，2017）では，胃の大彎および小彎を3等分し，それぞれの対応点を結んで，胃をU（上部，fundus），M（中部，corpus）およびL（下部，antrum and pylorus）の3領域に区分している．

・穹窿部，胃底部

2）穹窿部fornixの意味は円蓋，弓形，天井などの構造物の総称であって，胃の上部円蓋の部分をさして名づけられたものであり，胃底部fundusとも称する．

・幽門前部

3）前庭部antrumのうち，幽門直前の部分を幽門前部prepyloric regionと呼ぶ.

集合細静脈（つづき）	
RAC[4]	regular arrangement of collecting venule

Ⅷ．小腸　small intestine

十二指腸	duodenum
十二指腸係蹄	duodenal loop（図 2）
前壁	anterior wall
後壁	posterior wall
外壁	lateral wall, outer side
内壁	medial wall, inner side
球部[1]	bulb, bulbus, first part（図 3）
前面，前壁	anterior aspect, anterior wall
後面，後壁	posterior aspect, posterior wall
上面，上壁	superior aspect, superior wall
下面，下壁	inferior aspect, inferior wall
球後部	postbulbar area
下行部	descending part, second part
水平部	transverse part, third part
上行部	ascending part, fourth part
吻合部	anastomosis
上十二指腸角	superior duodenal angulus, superior duodenal angle
上十二指腸曲	superior duodenal flexure
下十二指腸角	inferior duodenal angulus, inferior duodenal angle
下十二指腸曲	inferior duodenal flexure
十二指腸空腸角	duodenojejunal angulus, duodenojejunal angle
十二指腸空腸曲	duodenojejunal flexure
付：Treitz 靱帯[2]	Treitz' ligament, ligament of Treitz
十二指腸乳頭	duodenal papilla, ampulla
主乳頭，大乳頭	major papilla, major duodenal papilla, papilla of Vater（図 4）
副乳頭，小乳頭	minor papilla, minor duodenal papilla, accessory papilla

Ⅶ．胃

・RAC

4）集合細静脈の規則的配列 regular arrangement of collecting venules は萎縮のない胃底腺領域に認められる．

Ⅷ．小腸

・球部（**図 3**）

1）球部は直視内視鏡が幽門輪を越えたときに見渡せる範囲と定義する（**図 3**）．幽門輪から上十二指腸角の間の部分は 90° 時計回転方向にねじれていることを念頭に置かなければならない．内視鏡所見として病変の部位を記載する場合，上十二指腸角と病変との位置関係を明示すべきである．

・付：Treitz 靱帯

2）Treitz' ligament あるいは ligament of Treitz は内視鏡的な部位を表す用語ではない．しかし，他の関連において使用されるため付記したが，十二指腸空腸角と混同しないように注意を要する．

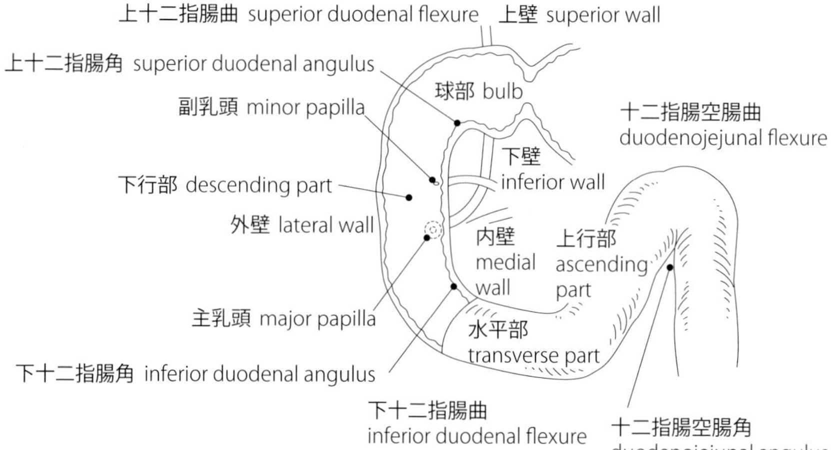

上十二指腸曲 superior duodenal flexure
上壁 superior wall
上十二指腸角 superior duodenal angulus
球部 bulb
副乳頭 minor papilla
十二指腸空腸曲
duodenojejunal flexure
下壁
inferior wall
下行部 descending part
外壁 lateral wall
内壁
medial
wall
上行部
ascending
part
主乳頭 major papilla
水平部
transverse part
下十二指腸角 inferior duodenal angulus
下十二指腸曲
inferior duodenal flexure
十二指腸空腸角
duodenojejunal angulus

図 2　十二指腸係蹄

上面 superior aspect
前面
anterior aspect
後面
posterior aspect
下面 inferior aspect

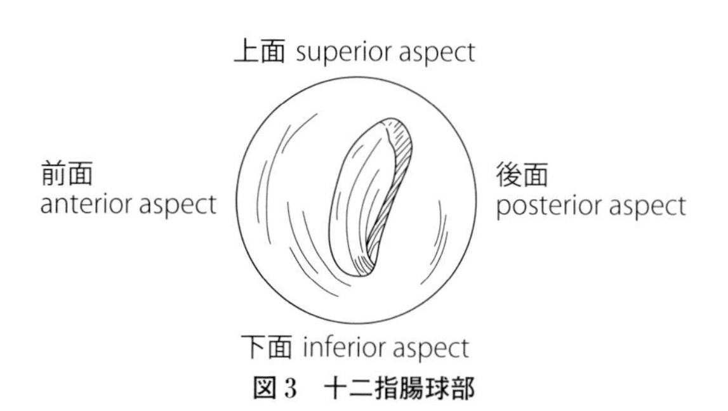

図 3　十二指腸球部

十二指腸乳頭（つづき）	
口側隆起	oral protrusion
開口部	papillary orifice
はちまきひだ[3]	hooding fold, encircling fold
小帯	frenulum
縦走ひだ[4]	longitudinal fold
空腸[5]	jejunum
上部空腸	proximal jejunum
下部空腸	distal jejunum
回腸[5]	ileum
上部回腸	proximal ileum
下部回腸	distal ileum
付：輪状ひだ Kerckring ひだ	circular fold, fold of Kerckring
回腸末端部，回腸終末部	terminal ileum
腸間膜付着側[6]	mesenteric side
腸間膜付着部対側[6]	antimesenteric side

Ⅸ．大腸　large intestine

回腸末端部，回腸終末部	terminal ileum
盲腸	cecum
回盲弁，Bauhin 弁	ileocecal valve
上唇	upper lip
下唇	lower lip
虫垂	vermiform appendix
虫垂開口部	appendiceal orifice
結腸	colon
上行結腸	ascending colon
右結腸曲，肝彎曲[1]	right colonic flexure, hepatic flexure
横行結腸	transverse colon
左結腸曲，脾彎曲	left colonic flexure, splenic flexure
下行結腸	descending colon
S 状結腸	sigmoid colon
結腸半月ひだ	semilunar fold
ハウストラ[2]，結腸膨起	haustrum（*pl.* haustra）

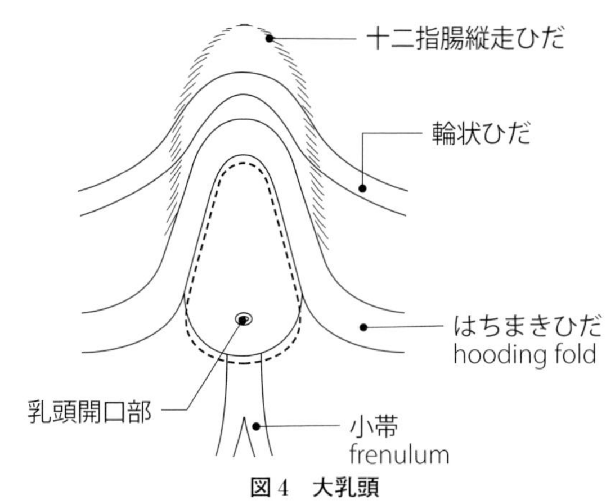

図4　大乳頭

〔日本肝胆膵外科学会（編）：臨床・病理 胆道癌取扱い規約．第7版，金原出版，2021より引用〕

Ⅷ．小腸

・はちまきひだ

3）はちまきひだは我が国ではcovering foldが広く用いられているが，欧米ではhooding foldが汎用されている．

・縦走ひだ

4）longitudinal foldは解剖学書でもoral protrusionを意味したり，時にはfrenulumを，または両者を含めて使用されている．誤解を招かないためにはoral protrusionおよびfrenulumと分けて使用すべきであるが，内視鏡観察時のorientationをつけるためには便利な言葉であり，とくに厳密な規定はせずに付記した．

・空腸／回腸

5）空腸と回腸の違い：小腸の上部2/5が空腸，下部3/5が回腸である．空腸は回腸よりKerckringひだが密であり，絨毛の丈が高い．

・腸間膜付着側／腸間膜付着部対側

6）腸間膜付着側と腸間膜付着部対側：小腸係蹄の内側が腸間膜付着部であり，内視鏡観察時に認識可能である．疾患によって好発する部位に特徴がある．

Ⅸ．大腸

・右結腸曲，肝彎曲

1）結腸曲は解剖学的には肝・脾彎曲とは呼ばれていないが，臨床的にはしばしば用いられているので並記した．

・ハウストラ

2）ハウストラは解剖学的用語では結腸膨起であるが，しばしばハウストラと仮名書きで用いられているので採用することにした．

S 状結腸（つづき）	
結腸ひも	tenia coli
直腸	rectum
直腸 S 状部[3]	rectosigmoid colon
上部直腸[3]	rectum above the peritoneal reflection
下部直腸[3]	rectum below the peritoneal reflection
直腸膨大部	rectal ampulla
直腸横ひだ，Houston 弁[4]	transverse folds of the rectum, rectal valve of Houston
前壁	anterior wall
後壁	posterior wall
右側壁	right lateral wall
左側壁	left lateral wall
腹膜翻転部	peritoneal reflection
肛門[5]	anus
肛門管[6]	anal canal
肛門周囲皮膚[7]	perianal skin
肛門縁[7]	anal verge
歯状線[7]	dentate line
肛門柱[7]	rectal column
肛門洞[7]	anal sinus
肛門乳頭[7]	anal papilla
肛門弁[7]	anal valve
肛門陰窩[7]	anal crypt

Ⅸ．大腸

・直腸S状部／上部直腸／下部直腸

3）直腸からS状結腸部は臨床上しばしば名称の混乱がみられ，実際上もその境界を内視鏡的に定めることは困難であるが，ここでは「大腸癌取扱い規約．第9版」（金原出版，2018）に準ずることとした．直腸S状部は解剖学的にはS状結腸に含まれるが，規約に準じてここでは直腸に含めた．直腸S状部はRS，上部直腸はRa，下部直腸はRb，肛門管はP，肛門周囲皮膚はEに相当する．

・直腸横ひだ，Houston弁

4）Houston弁は解剖学的には弁ではなくひだであり，名称として直腸横ひだが用いられている．複数個あり，上からupper，middle，lower rectal foldと分けることもある．臨床的にはHouston弁の名称がなお用いられているので，ここでは並記することとした．

・肛門

5）肛門部の位置表示は腹側正中を12時とし，患者左側に3時がくる時計表示に従う．

・肛門管

6）肛門管には「解剖学的肛門管 anatomical anal canal」と「外科的肛門管 surgical anal canal」という異なる定義が存在する．解剖学的肛門管は肛門縁から歯状線までと定義され，外科的肛門管は肛門縁から恥骨直腸筋付着部上縁（肛門柱上縁に相当）までと定義される．

・肛門周囲皮膚／肛門縁／歯状線／肛門柱／肛門洞／肛門乳頭／肛門弁／肛門陰窩

7）**図5**参照．

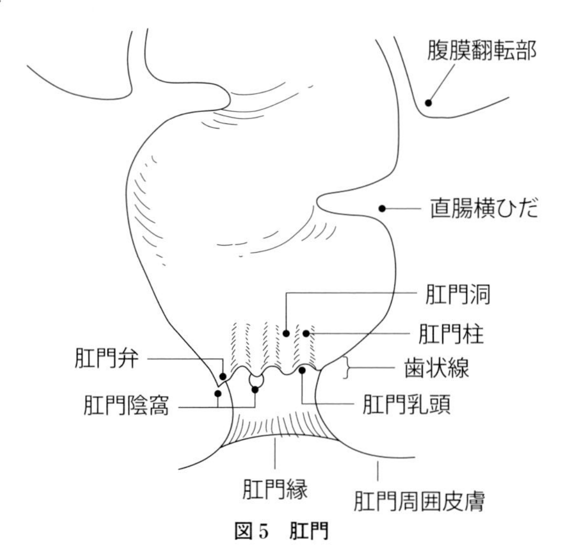

図5　肛門

X．胆道[1] biliary tract

胆嚢[2]	gallbladder
底部	fundus
体部	body, corpus
頸部	neck, collum
漏斗部[3]，Hartmann 嚢	infundibulum, Hartmann's pouch
胆嚢壁	wall of the gallbladder
肝側	wall of the hepatic side
腹腔側	wall of the peritoneal side
前壁	anterior wall
後壁	posterior wall
付：胆嚢床[4]	gallbladder bed（*or* fossa）
胆嚢管	cystic duct
らせんひだ，Heister 弁	spiral valve, Heister's valve
らせん部	valvular portion, pars spiralis（*or* valvularis）
平滑部[5]	smooth portion, pars glabra
胆管	bile duct
肝内胆管[6]	intrahepatic bile duct
肝管	hepatic duct
右肝管	right hepatic duct

X．胆道

1）胆嚢，胆嚢管，胆管系など胆汁の流路を総称して胆道という．

・胆嚢

2）「臨床・病理 胆道癌取扱い規約．第7版」（金原出版，2021）では胆嚢を長軸に対して直角に三等分し，それぞれ底部，体部，頸部としている．**図6**参照．

・漏斗部

3）cholecystoduodenal ligament が付着している漏斗状の部分．

・胆嚢床

4）肝床という言葉がしばしば用いられるが，その妥当性に異論が多い．これは胆嚢の肝下面付着部分をさす．

・平滑部

5）内腔にらせんひだのない部分，胆嚢管の胆管側部．

・肝内胆管

6）第1分枝より上流の肝管をいう（外科・病理 胆道癌取扱い規約．第5版，金原出版，2003による）．ただし「臨床・病理 胆道癌取扱い規約．第6版」（金原出版，2013）では，肝門部領域胆管という概念が定義され，左肝内胆管は門脈臍部（U point）の右縁，右肝内胆管は門脈前後枝の分岐点の左縁（P point）より上流の胆管とされている．

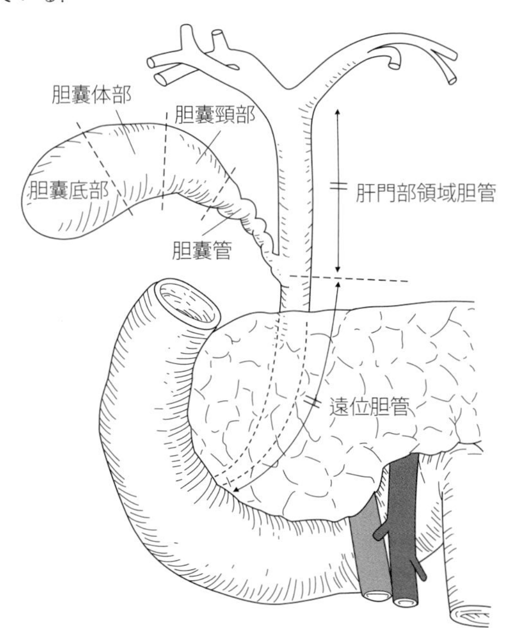

図6　肝外胆道系の区分

〔日本肝胆膵外科学会（編）：臨床・病理 胆道癌取扱い規約．第7版，金原出版，2021より引用〕

右肝管（つづき）	
右前区域枝[7]	duct of right anterior segment
右前上枝（B8）	right anterior-superior segmental duct
右前下枝（B5）	right anterior-inferior segmental duct
右後区域枝	duct of right posterior segment
右後上枝（B7）	right posterior-superior segmental duct
右後下枝（B6）	right posterior-inferior segmental duct
左肝管	left hepatic duct
左内側区域枝（B4）	duct of left medial segment
左内側上枝	left medial-superior segmental duct
左内側下枝	left medial-inferior segmental duct
左外側区域枝	duct of left lateral segment
左外側上枝（B2）	left lateral-superior segmental duct
左外側下枝（B3）	left lateral-inferior segmental duct
尾状葉枝（B1）[8]	duct of caudate lobe
副肝管[9]	accessory hepatic duct
肝門部[10]	hilum of the liver, porta hepatis
肝管合流部[11]	confluence of the hepatic ducts
肝外胆管[12]	extrahepatic bile duct
上部胆管[13]	upper bile duct, superior bile duct
中部胆管[14]	middle bile duct
下部胆管[15]	lower bile duct, inferior bile duct

X．胆道

・右前区域枝

7）肝区域概念が定着し，全肝を尾状葉から始まり逆時計方向にⅠ～Ⅷの８区域に区分するCouinaudの肝区域設定法が一般的である．右前区域は前上区（域）と前下区（域）に分けられ，各々Segment Ⅷ，Segment Ⅴと呼称し，S8，S5などとも略記される．一方，区域枝を表現する場合，右前上枝はSegment Ⅷの，また右前下枝はSegment Ⅴの胆管枝（bile duct）と呼称し，これらを順次，B8，B5などとも略記する．

・尾状葉枝（B1）

8）尾状葉は，肝区域概念上１区域として扱い，Segment Ⅰと呼称するが，両葉にまたがるためさらに左側，右側，突起部に区分され，右側または左側尾状葉胆管枝left or right caudate lobar ductsあるいは突起部胆管枝caudate process ductと表現する．

・副肝管

9）きわめて稀なバリエーションの１つで，左右肝管とは別に生じた肝管である．胆嚢，胆嚢管，総肝管，総胆管のいずれにも流入しうる．

・肝門部

10）肝門部は，肝臓側面で門脈，固有肝動脈，肝管，神経，リンパ管が出入りする部の総称である．したがって，肝門部胆管という表現は，bile duct in the porta hepatis（hilum of the liver）とすべきである．

・肝管合流部

11）左右肝内胆管の肝門部での合流型式は，bifurcationを示す場合が一般的であるが，trifurcationを示す場合などバリエーションが多いので，bifurcationという表現は適切でない．

・肝外胆管

12）肝管第一次分岐部より下流の胆管をいう（外科・病理 胆道癌取扱い規約．第５版，金原出版，2003による）．

・上部胆管

13）左右肝管の合流部から膵上縁までを二等分した上半分（外科・病理 胆道癌取扱い規約．第５版，金原出版，2003による）．

・中部胆管

14）左右肝管の合流部から膵上縁までを二等分した下半分（外科・病理 胆道癌取扱い規約．第５版，金原出版，2003による）．

・下部胆管

15）膵上縁から十二指腸壁を貫通するまでの部分（外科・病理 胆道癌取扱い規約．第５版，金原出版，2003による）．

肝外胆管（つづき）	
肝門部領域胆管[16]	perihilar bile duct
遠位胆管[17]	distal bile duct
総肝管[18]	common hepatic duct
総胆管[19]	common bile duct
胆嚢管肝管合流部，三管合流部[20]	union (*or* junction) of the cystic and common hepatic ducts, junction of the cystic duct
Calot 三角[21]	Calot's triangle
膵外胆管	extrapancreatic common bile duct
膵内胆管	intrapancreatic common bile duct
（総胆管）末端部[22]	distal (*or* terminal) segment, distal (*or* terminal) portion
（十二指腸）乳頭部[23]	papillary region
乳頭部胆管[24]	bile duct of the papillary region, intraduodenal bile duct
共通管	common channel

X．胆道

・肝門部領域胆管

16）これまでは肝外胆管は，上部胆管・中部胆管・下部胆管に分類されていたが，「臨床・病理 胆道癌取扱い規約．第7版」（金原出版，2021）では，肝門部領域胆管および遠位胆管と定義された．肝門部領域胆管は，肝側左縁は門脈臍部（U point）の右縁から，右側は門脈前後枝の分岐点左縁（P point）までの範囲で，十二指腸側は左右肝管合流部下縁から十二指腸壁に貫入するまでを二等分した部位までとし，その位置は原則として胆嚢管合流部で判断するとされている．**図6**参照．

・遠位胆管

17）左右肝管合流部下縁から十二指腸壁に貫入するまでを二等分した部位までとし，その位置は原則として胆嚢管合流部から十二指腸壁に貫入する部分までとする（臨床・病理 胆道癌取扱い規約．第7版，金原出版，2021による）．**図6**参照．

・総肝管

18）左右肝管合流部より胆嚢管合流部までの胆管をいう．

・総胆管

19）総肝管と胆嚢管合流部より下流の胆管をいう．

・胆嚢管肝管合流部，三管合流部

20）総肝管と胆嚢管が接合して総胆管が始まる部分をいう．胆管胆嚢管合流部あるいは三管合流部とも呼ばれる．この部位をbiliary confluneneと表現され，同部位に存在する結石をconfluence stoneと用いられる．

・Calot三角

21）胆嚢管，総肝管，肝下面で構成される三角部をいう．

・（総胆管）末端部

22）総胆管が十二指腸を貫通し管径が生理的に狭細化している部分をとくにnarrow distal segmentという．先天性胆道拡張症などの狭細化にも使用されていた．"notch"（of the common bile duct）（Hand BH：Br J Surg 50：486-494, 1963）は，狭くなり始める境界部をさす．

・（十二指腸）乳頭部

23）「臨床・病理 胆道癌取扱い規約．第7版」（金原出版，2021）では，乳頭部胆管，乳頭部膵管，共通管部，大十二指腸乳頭を総称して乳頭部と規定しているが，内視鏡用語とは一部異なる（**図7**）．また，十二指腸乳頭の内腔より見た粘膜の境界は十二指腸内腔に突出した部分のみをさし，口側のはちまきひだの部分は含まない．

・乳頭部胆管

24）胆管が十二指腸壁（十二指腸固有筋層）に陥入した所から共通管部までの部分（**図7**）．

XI．膵臓 pancreas

頭部[1)	head
鉤状突起，鉤状部[2)	uncinate process, uncus
頸部	neck
体部	body
尾部[3)	tail
膵頭十二指腸領域[4)	pancreat (ic) oduodenal region
傍乳頭部領域	periampullary region
上部[5)	superior area
下部	inferior area
前部	anterior area
後部	posterior area

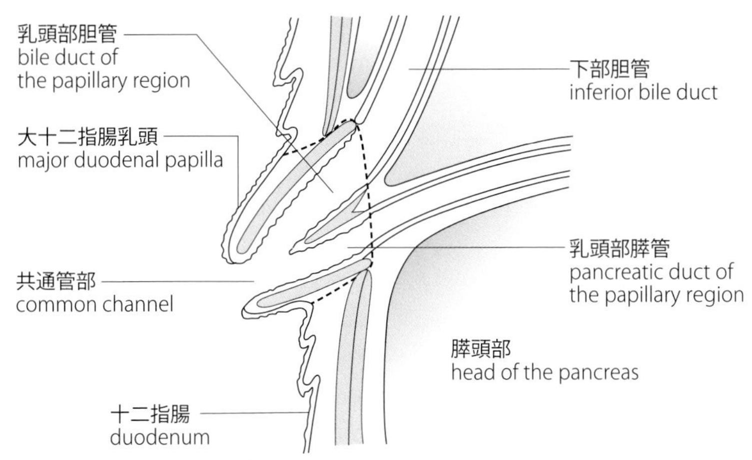

図 7　乳頭部の範囲および区分

〔日本肝胆膵外科学会（編）：臨床・病理 胆道癌取扱い規約．第 7 版，金原出版，2021 より引用〕

XI．膵臓

・頭部

1）膵臓は頭部，体部，尾部の 3 部（portion）に区分される．頸部および鉤状突起は頭部に含める．なお，頭部について“pancreatic head”という表現はほとんど使われず，普通は head of the pancreas と記載される．同様に“pancreatic body”，“pancreatic tail”という表現も避けたほうがよい．

・鉤状突起，鉤状部

2）しばしば誤って“鈎”を用いることがあるが，“鉤”が正しい．なお，“鉤状膵”は俗称である．“Winslow 膵”という呼称も現在では使われない．

・尾部

3）膵体尾部＝ body and tail of the pancreas

・膵頭十二指腸領域

4）“膵頭部とそれに隣接する十二指腸を含む領域”を意味し，乳頭部も含む．また十二指腸下行部，膵頭部，総胆管で囲まれた領域を groove 領域、同部位に発生する膵炎を groove 膵炎という．

・上部

5）「膵癌取扱い規約．第 3 版」（金原出版，1986）では“segment”という表現が用いられていたが，第 4 版（金原出版，1993）では“area”に変わった．これは解剖学的に区分される構造や境界がないためであろう．

膵管系	pancreatic duct (al) system
膵管	pancreatic duct
主膵管（Wirsung 管）[6]	main (*or* major) pancreatic duct (duct of Wirsung)
副膵管（Santorini 管）[7]	accessory pancreatic duct (duct of Santorini)
背側膵管	dorsal pancreatic duct
腹側膵管	ventral pancreatic duct
分枝膵管[8]	branch of the pancreatic duct, side branch of the pancreatic duct
一次（二次，三次）分枝	first (second, third) order branch, primary (secondary, tertiary) branch
共通管，共通管部[9]	common channel
膵管分岐部	junction of the pancreatic ducts
膵実質	pancreatic parenchyma
腺房領域[10]	acinar region

Ⅻ. 胸腔・腹腔[1]　pleural/peritoneal cavity

胸部食道[2]	thoracic esophagus
胸膜[3]	pleura
縦隔	mediastinum
肺	lung
気管	trachea
気管支	bronchus (*pl.* bronchi)
奇静脈	azygos vein
胸部食道の血管[4]	blood vessels of the thoracic esophagus
迷走神経	vagus nerve, vagus (*pl.* vagi)
反回神経	recurrent (laryngeal) nerve

Ⅺ．膵臓

・主膵管（Wirsung 管）

6）主膵管は機能的表現である．通常は腹側膵管と背側膵管の上流部とが癒合してできた太い膵本管をさす．1642 年，Wirsung がヒトでこの主膵管を見つけて報告したことから，主膵管を Wirsung 管と呼ぶことがある．

・副膵管（Santorini 管）

7）副膵管も機能的表現である．通常は主膵管に合流，あるいは主膵管から分岐している下流部の細い背側膵管をさす．1775 年，Santorini が発見し報告したため，Santorini 管とも呼ばれる．Santorini 管は副膵管のみをさすので，背側膵管の同義語ではない．

・分枝膵管

8）分枝に対応する概念として，膵本管を trunk（of the pancreatic duct）あるいは main channel とする表現がある．分枝が流れ込む膵の本管という意味で，主膵管・副膵管の両者がこれに該当する．

・共通管，共通管部

9）狭義の膨大部との異同が問題になる．共通管部の末端の膨らんだ部分だけを膨大部と呼ぶ場合もあるが，「臨床・病理 胆道癌取扱い規約．第 7 版」（金原出版，2021）では膨大部と共通管部とをまったく同義語として扱っている．

・腺房領域

10）これに類似した表現として膵野 pancreatic field という言葉がある．肺野の類語で“膵が占めているはずの領域”を意味する X 線診断学用語である．主膵管以外の構成要素，すなわち分枝・微細膵管・腺房などによって形成される領域を意味する．

Ⅻ．胸腔・腹腔

1）胸腔・腹腔内消化器疾患の診断ならびに腹腔鏡・胸腔鏡下手術に必要な解剖学的用語を取り扱う．ただし，内腔から見た場合も同じ用語を使う場合は，これを省略した．

・胸部食道

2）胸部食道疾患の診断，食道切除術に必要な解剖学的用語を取り扱う．

・胸膜

3）壁側胸膜 parietal pleura と臓側胸膜 visceral pleura に分けられる．

・胸部食道の血管

4）食道上部は左下甲状腺動脈の枝 branches of thyroid artery と右最上肋間動脈 right supreme intercostal artery，中部は気管支動脈の枝 branches of bronchial artery と大動脈の食道枝 esophageal branches of aorta，下部は左下横隔動脈枝 branches of left inferior phrenic artery および左胃動脈枝 branches of left gastric artery より血行が維持されている．

腹部食道[5]	abdominal esophagus
食道裂孔（横隔膜の）	esophageal hiatus（of diaphragm）
横隔膜脚[6]	crus of diaphragm
食道胃接合部	esophagogastric junction
迷走神経幹[7]	trunk of vagus nerve, vagus nerve trunk
迷走神経枝	branch of vagus nerve, vagus branch
胃[8]	stomach
壁	gastric wall
漿膜	serosa
噴門	gastric cardia
靱帯	ligament
胃横隔膜靱帯	gastrophrenic ligament
肝胃靱帯	hepatogastric ligament, gastrohepatic ligament
肝十二指腸靱帯	hepatoduodenal ligament
胃結腸靱帯	gastrocolic ligament
小網[9]	lesser omentum
大網	greater omentum
網嚢[10]	omental bursa, bursa omentalis, lesser peritoneal sac
迷走神経枝	branch of vagus nerve, vagus branch
近位迷走神経枝	proximal branch of vagus nerve, proximal vagus branch
Latarjet 神経[11]	Latarjet nerve
胃の血管[12]	blood vessels of the stomach
小腸[13]	small intestine, small bowel
Treitz 靱帯[14]	Treitz' ligament, ligament of Treitz
回腸末端部，回腸終末部	terminal ileum
回盲部	ileocecal region
回盲境界部[15]	ileocolic junction
小腸の血管[16]	blood vessels of the small intestine
辺縁動脈[17]	marginal arteries
虫垂[18]	vermiform appendix
虫垂間膜	mesoappendix
虫垂血管	appendicular vessels

XII. 胸腔・腹腔

・腹部食道

5）腹腔鏡下 fundoplication, 選択的迷走神経切断術に必要な解剖学的用語を取り扱う.

・横隔膜脚

6）食道裂孔を形成する横隔膜と脊柱とを結ぶ左右 2 つの筋性支柱で，この間を食道が通る．left crus，right crus と表現する.

・迷走神経幹

7）左（前）left（anterior），右（後）right（posterior），両側 bilateral などと表現する.

・胃

8）腹腔鏡下にみる胃疾患の診断および腹腔鏡下胃部分切除術に必要な解剖学的用語を扱う.

・小網

9）小網は肝十二指腸靱帯，肝胃靱帯 hepatogastric ligament の総称である.

・網嚢

10）網嚢は，網嚢孔 epiploic foramen（Winslow）を介して腹腔に通じ，大網，小網，横行結腸間膜 transverse mesocolon を切開することにより到達できる.

・Latarjet 神経

11）胃前庭部，幽門部に分布する迷走神経枝.

・胃の血管

12）胃は胃動・静脈 gastric artery and vein，胃大網動・静脈 gastroduodenal artery and vein，短胃動・静脈 short gastric artery and vein，胃十二指腸動脈 gastroduodenal artery，冠状静脈 coronary vein により血行が維持されている.

・小腸

13）腹腔鏡下にみる小腸疾患の診断および小腸部分切除術に必要な解剖学的用語を扱う．小腸とは十二指腸 duodenum，空腸 jejunum，回腸 ileum の総称である.

・Treitz 靱帯

14）右横隔膜脚 right crus に連なる靱帯で，十二指腸壁で扇状に付着して十二指腸空腸曲が形成される.

・回盲境界部

15）回盲部で回腸と盲腸との接合部を回盲境界部 ileocolic junction という.

・小腸の血管

16）小腸は，上腸間膜動・静脈 upper mesenteric artery and vein と回結腸動・静脈 ileocolic artery and vein により血行が維持されている.

・辺縁動脈

17）動脈枝間吻合 arterial arcades ともいう.

・虫垂

18）腹腔鏡下にみる虫垂疾患の診断および虫垂切除術に必要な解剖学的用語を取り扱う.

大腸[19]	large intestine, large bowel
結腸曲[20]	flexure of the colon
脾結腸間膜	splenocolic ligament
外側傍結腸溝[21]	lateral paracolic gutter
結腸ひも	tenia coli
腹膜垂	appendices epiploicae
大腸の血管[22]	blood vessels of the large intestine
肝臓[23]	liver
肝葉[24, 25]	lobe
右葉	right lobe
方形葉	quadrate lobe
左葉	left lobe
尾状葉	caudate lobe
被膜面[26]	surface
表面	anterior surface
裏面	inferior surface
肝縁	liver edge
被膜	capsule

Ⅻ. 胸腔・腹腔

・大腸

19）腹腔鏡下にみる結腸疾患の診断および結腸切除術ならびに低位前方切除術に必要な解剖学的用語を扱う．大腸は，盲腸 cecum，上行結腸 ascending colon，横行結腸 transverse colon，下行結腸 descending colon，S 状結腸 sigmoid colon，直腸 rectum を含む．

・結腸曲

20）肝（右）結腸曲 hepatic flexure of the colon，脾（左）結腸曲 splenic flexure of the colon がある．

・外側傍結腸溝

21）腹膜に付着した上行結腸と下行結腸外側の space をいう．

・大腸の血管

22）大腸は，中結腸動・静脈 middle colic artery and vein，右結腸動・静脈 right colic artery and vein，下腸間膜動・静脈 inferior mesenteric artery and vein，S 状結腸動・静脈 sigmoid artery and vein（下左結腸動・静脈 inferior left colic artery and vein），上直腸動・静脈 superior rectal artery and vein，中直腸動・静脈 middle rectal artery and vein により血行が維持されている．

・肝臓

23）肝疾患の診断ならびに腹腔鏡下手術に必要な解剖学的用語を取り扱う．

・肝葉

24）右葉と方形葉は，Cantlie 線（註 28）で境界され，方形葉と左葉は肝鎌状間膜で境界される．尾状葉は方形葉の下面に位置し，方形葉に含まれる．

25）「原発性肝癌取扱い規約 第 6 版補訂版」（金原出版，2019）など一般的には Cantlie 線により，その左側を左葉，右側を右葉とし，さらに以下の 4 区域に大別している．

1. 左外側区域　left lateral segment（肝鎌状間膜より左側の区域）
2. 左内側区域　left medial segment（肝鎌状間膜と Cantlie 線の間の区域）
3. 右前区域　right anterior segment（Cantlie 線と右肝静脈の間の区域）
4. 右後区域　right posterior segment（右肝静脈主幹より右後側の区域）

しかし，腹腔鏡観察の立場からは肝は肝鎌状間膜により大きく左側と右側に分けられており，また腹腔鏡では後区域は観察不能であることから，上記分類法は実際的でない．そこでこの分類法と矛盾せず，いずれの場合にも適応可能であるように，右葉を狭義の右葉とし，方形葉を独立させて本文のように分類した．

・被膜面

26）肝被膜面 surface of the liver は一般的に上面，前面，右側面，下面に分けられるが，腹腔鏡用語としては上面および前面を含めた区域を表面，下面および後面を含めた区域を裏面という．英語では対応のない言葉であるが，それぞれ観察される主要面を採り，anterior surface，inferior surface とする．

肝臓（つづき）

肝門部[27]	porta hepatis, hepatic hilum
Cantlie 線[28]	Cantlie's line
小葉[29]	lobule
門脈域，Glisson 鞘[30]	portal area, Glisson's sheath
圧痕[31]	impression
肋骨圧痕	costal impression
食道圧痕	esophageal impression
胃圧痕	gastric impression
十二指腸圧痕	duodenal impression
結腸圧痕	colic impression
腎圧痕	renal impression
表在脈管	superficial vessel
門脈系[32]	portal venous system
終末細門脈枝	terminal portal venule
前終末門脈枝	preterminal portal vein branch
門脈枝	portal venous branch
被膜下門脈枝[33]	subcapsular portal vein branch, Kölliker's capsular vein
肝動脈系[32]	hepatic arterial system
終末細肝動脈枝	terminal hepatic arteriole
前終末肝動脈枝	preterminal hepatic artery branch
肝動脈枝	hepatic artery branch
被膜下肝動脈枝[34]	subcapsular hepatic artery branch
被膜肝動脈枝[35]	capsular hepatic artery branch

Ⅻ．胸腔・腹腔

・肝門部

27）肝門部は肝下面で方形葉と尾状突起間に位置する裂溝であり，門脈，固有肝動脈，神経叢，左右肝管およびリンパ管が出入りする．

・Cantlie 線

28）Cantlie 線とは胆嚢と下大静脈を結ぶ線 gallbladder-caval line のことである．

・小葉

29）肝小葉の概念に関しては，中心静脈を主軸とした古典的小葉（Kiernan）のほかに，終末細門脈枝を主軸とした肝細葉（Rappaport），一次小葉（松本）などがある．腹腔鏡では，終末細門脈枝，前終末門脈枝およびその周囲の結合織よりなる灰白色小点状の紋理が約 1mm 間隔で規則正しい配列をなしているのが観察できる．これは，Glisson 鞘末端に相当する．したがって，腹腔鏡では，古典的小葉が観察単位となる．ただし，小葉の中心に存在する中心静脈は通常観察されない．

・門脈域，Glisson 鞘

30）肝表面を覆う被膜の線維性結合織が肝門部から肝に出入りする門脈，肝動脈，胆管，リンパ管および神経を包み込んで肝内に入り，しだいに細かく分枝して肝実質を多数の肝小葉に区画する．この小葉間結合織を Glisson 鞘と呼ぶ．したがって，Glisson 鞘内には常に門脈枝，肝動脈および胆管枝の 3 者 portal triad が認められる．しかし，ヒトでは末梢においてこの結合織が認められず，単なる一重の肝細胞索 periportal limiting plate が上記の境界を作っている．したがって，腹腔鏡観察の立場からは Glisson 鞘という呼称よりもむしろ portal area という用語の使用が好ましい．

・圧痕

31）通常の腹腔鏡検査では肋骨圧痕程度しか観察されないが，補助器具を用いることにより肝下面が観察可能となり，胃圧痕，十二指腸圧痕，結腸圧痕が観察可能となる．

・門脈系 / 肝動脈系

32）肝門脈系および肝動脈系の名称については**図 8** 参照．

・被膜下門脈枝

33）肝被膜下に観察される．長さが数 mm で樹枝状の形態をもつ門脈枝である．

・被膜下肝動脈枝

34）被膜下門脈枝（註 33）に併走する肝動脈枝．

・被膜肝動脈枝

35）肝被膜面における被膜肝動脈枝は直線状または粗大な網目状を呈し，しばしばらせん状の走行を示す．また，各所において Glisson 鞘内肝動脈枝と交通する．

表在脈管（つづき）	
リンパ管系	lymphatic vessel system
表在リンパ管	superficial lymphatic vessel
肝円索のリンパ管	lymphatic vessel in ligamentum teres
肝鎌状間膜のリンパ管	lymphatic vessel in falciform ligament
肝静脈枝に伴走するリンパ管	lymphatic vessel running with hepatic venous branch
肝門部リンパ管	lymphatic vessel in porta hepatis
右（左）三角間膜[36)]	right（left）triangular ligament
肝冠状間膜	coronary ligament
肝鎌状間膜	falciform ligament
肝円索，臍帯静脈索	ligamentum teres, chorda venae umbilicalis
線維付属	appendix fibrosa

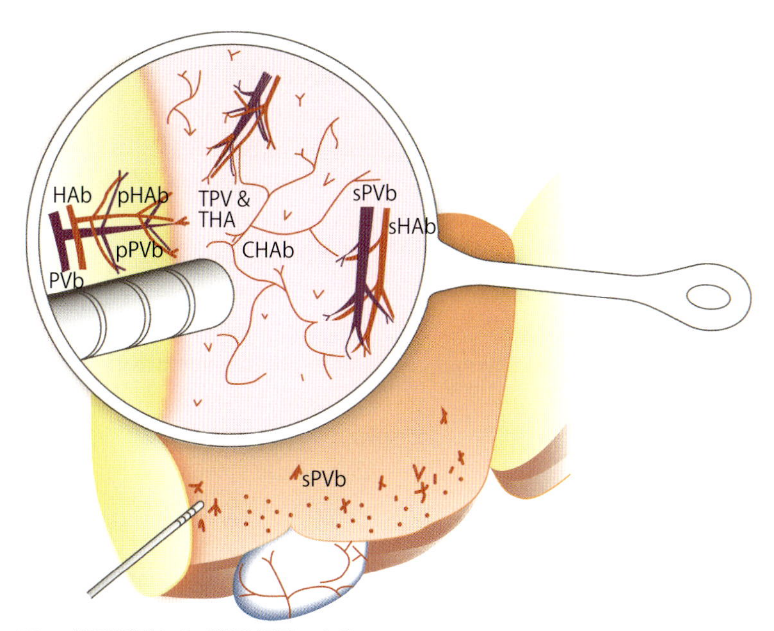

図 8　肝門脈系および肝動脈系の名称

TPV：terminal portal venule	終末細門脈枝
pPVb：preterminal portal vein branch	前終末門脈枝
PVb：portal venous branch	門脈枝
sPVb：subcapsular portal vein branch (Kölliker's capsular vein)	被膜下門脈枝
THA：terminal hepatic arteriole	終末細肝動脈枝
pHAb：preterminal hepatic artery branch	前終末肝動脈枝
HAb：hepatic artery branch	肝動脈枝
sHAb：subcapsular hepatic artery branch	被膜下肝動脈枝
CHAb：capsular hepatic artery branch	被膜肝動脈枝

Ⅻ. 胸腔・腹腔

・右（左）三角間膜

36）ligament には 3 通りの訳語があるが，関節などにある本来のものは「靱帯」，胎生時の血管などが閉鎖してできたものは「索」，漿膜の作るひだは「間膜」とする〔日本解剖学会（編）：解剖学用語．第 7 版，丸善，1958〕．ただし，明らかに臓側葉と壁側葉との二次的癒着で生じたと思われるものは「ひだ」としている〔日本解剖学会（編）：解剖学用語．第 9 版，丸善，1963〕．したがって三角靱帯，冠状靱帯，鎌状靱帯，円靱帯など慣用的に使用されている名称は上記に従い，徐々に変更していくことが望ましい．

胆道[37]	biliary tract
胆嚢	gallbladder
胆嚢管	cystic duct
胆嚢動脈	cystic artery
Calot 三角[38]	Calot's triangle
胆嚢静脈	cystic vein
胆嚢リンパ管	lymphatic vessels of the wall of gallbladder
総胆管	common bile duct
固有肝動脈	common hepatic artery
肝動脈	hepatic artery
脾臓[39]	spleen
脾門部	hilus of the spleen
脾切痕	incisura
靱帯	ligament
胃脾靱帯	gastrolienal ligament
脾腎靱帯	lienorenal ligament
脾臓の血管[40]	blood vessels of the spleen
膵臓[41]	pancreas
頭部	head
体部	body
尾部	tail
膵臓の血管[42]	blood vessels of the pancreas
腹壁[43]	abdominal wall
腹膜	peritoneum
鼠径床[44]	inguinal floor
鼠径管	inguinal canal
精索	spermatic cord
下腹壁動脈[45]	inferior epigastric artery
腸骨恥骨靱帯	ilio-pubic tract（IP tract）, Pooper's ligament
Hesselbach 三角[46]	Hesselbach's triangle

XII. 胸腔・腹腔

・胆道

37）胆道疾患の診断と腹腔鏡下胆嚢摘出術および総胆管結石摘出術に必要な解剖学的用語を取り扱う．

・Calot 三角

38）胆嚢管，総胆管，肝下面で構成される三角部をいう．

・脾臓

39）脾臓疾患の診断ならびに腹腔鏡下脾摘出術に必要な解剖学的用語を取り扱う．

・脾臓の血管

40）脾臓は脾動・静脈 splenic artery and vein，短胃動・静脈 short gastric artery and vein，左胃大網動・静脈 left gastroepiploic artery and vein により血行が維持されている．脾動・静脈 splenic artery and vein は脾腎靱帯（ひだ）内に，また，後二者は胃脾靱帯（間膜）内に存在する．

・膵臓

41）膵臓疾患ならびに腹腔鏡下膵手術に必要な解剖学的用語のみを取り扱う．

・膵臓の血管

42）膵臓は総肝動脈 common hepatic artery，胃十二指腸動脈 gastroduodenal artery，膵十二指腸動脈弓（前上膵十二指腸動脈 anterior superior pancreaticoduodenal artery，後上膵十二指腸動脈 posterior superior pancreaticoduodenal artery），上腸間膜動脈（前下膵十二指腸動脈 anterior inferior pancreaticoduodenal artery，後下膵十二指腸動脈 posterior inferior pancreaticoduodenal artery，下膵動脈 inferior pancreatic artery）と脾動脈 splenic artery の枝からなる動脈網と同名静脈により血行が維持されている．

・腹壁

43）腹壁疾患の診断と腹腔鏡下ヘルニア修復術に必要な解剖学的用語のみを取り扱う．

・鼠径床

44）腹膜前の space を剝離して露出する鼠径床には，外（間接）鼠径ヘルニア lateral（indirect）inguinal hernia，内（直接）鼠径ヘルニア medial（direct）inguinal hernia，大腿ヘルニア femoral hernia，閉鎖孔ヘルニア obturator hernia などの原因となる内輪 internal ring すべてが存在する．

・下腹壁動脈

45）下腹壁動脈は静脈と伴走しているので，下腹壁動静脈として inferior epigastric vessels と表現されることもある．

・Hesselbach 三角

46）下腹壁動静脈，腹直筋外縁と腸骨恥骨靱帯（IP tract）に囲まれる三角部で，この部に内（直接）鼠径ヘルニアは出現する．

鼠径床（つづき）	
精管	vas deferens
精巣動静脈[47]	spermatic vessels
子宮円索	round ligament of uterus
トライアングル・オブ・ドゥーム[48]	triangle of doom
Cooper 靱帯	Cooper's ligament
恥骨結節	pubic tubercle
裂孔靱帯	lacunar ligament
腹横筋	transversus abdominis muscle, transversalis muscle
腹横筋腱膜	transversalis fascia, fascia transversalis
腹横筋腱膜弓	aponeurotic arch of transversus abdominis
大腿神経	femoral nerve
外側大腿皮神経	lateral cutaneous nerve of thigh
陰部大腿神経[49]	genitofemoral nerve
臍靱帯[50]	umbilical ligament
腎臓[51]	kidney
腎盂	pelvis of the kidney, renal pelvis
尿管	ureter
腎臓の血管[52]	blood vessels of the kidney
副腎[53]	adrenal gland, suprarenal gland
副腎の血管[54]	blood vessels of the adrenal gland
骨盤内臓器[55]	organs in the pelvis, pelvic organs
膀胱	urinary bladder
子宮	uterus
子宮付属器	adnexa
卵巣	ovary
卵管	salpinx, Fallopian tube
卵管間膜	mesosalpinx
Douglas 窩	Douglas' pouch

XII. 胸腔・腹腔

・精巣動静脈

47）睾丸動静脈 testicular vessels というものもある．

・トライアングル・オブ・ドゥーム

48）精管，精巣動静脈が形成する三角部で，これはこの下に外腸骨動・静脈 external iliac artery and vein が走行しているので注意すべき領域である．

・陰部大腿神経

49）大腿枝 femoral branches（lumbo-inguinal nerve）と陰部枝 genital branches（external spermatic nerve）に分枝する．

・臍靱帯

50）外側（lateral），正中（median）臍靱帯 umbilical ligament がある．

・腎臓

51）腎臓疾患の診断ならびに腹腔鏡下腎摘出術に必要な解剖学的用語を取り扱う．

・腎臓の血管

52）腎臓は腎動・静脈 renal artery and vein により血行が維持されている．

・副腎

53）副腎疾患の診断ならびに腹腔鏡下副腎摘出術に必要な解剖学的用語を取り扱う．

・副腎の血管

54）副腎は上・中・下副腎動脈 superior，middle，inferior suprarenal artery と下大静脈，腎静脈に流入する副腎静脈 suprarenal vein により血行が維持されている．

・骨盤内臓器

55）腹腔鏡下に観察可能な骨盤内臓器と腹腔鏡下手術に必要な解剖学的用語を取り扱う．

超音波内視鏡解剖学的用語[1)]

Ⅰ．食道　esophagus

食道	esophagus
傍食道部	paraesophageal region, periesophageal region
縦隔	mediastinum
気管	trachea
気管分岐部	carina
主気管支	main bronchus
肺	lung
左心房	left atrium
心外膜	pericardium
大動脈肺動脈窓	aortopulmonary (*or* AP) window
横隔膜	diaphragm
脊椎	spine
頸動脈	carotid artery
大動脈弓	aortic arch
下行大動脈	descending aorta
奇静脈	azygos vein
上大静脈	superior vena cava
肺動脈	pulmonary artery
吻合部	anastomosis
気管分岐下部	subcarina
胸膜腔	pleural sac
左心室	left ventricle
胸管	thoracic duct

Ⅱ．胃　stomach

噴門	cardia
穹隆部，胃底部	fornix, fundus
胃体部	body, corpus

超音波内視鏡解剖学的用語

1）それぞれの器官から観察可能な解剖学的構造も含む.

胃体部（つづき）	
体上部	upper body
体中部	middle body
体下部	lower body
胃角	angulus, incisura
幽門洞，前庭部	antrum
幽門前部	prepyloric region
幽門	pylorus
小彎	lesser curvature, lesser curve
大彎	greater curvature, greater curve
前壁	anterior wall
後壁	posterior wall
傍胃部	perigastric region
肝左葉	left lobe of liver
肝尾状葉	caudate lobe of liver
肝右葉	right lobe of liver
左腎	left kidney
脾臓	spleen
副脾	accessory spleen
脾門部	splenic hilum
左副腎	left adrenal gland
大動脈	aorta
腹腔動脈幹	celiac trunk
脾動脈	splenic artery
脾静脈	splenic vein
腎動脈	renal artery
腎静脈	renal vein
門脈合流部	portal confluence
門脈	portal vein
肝動脈	hepatic artery
上腸間膜動脈	superior mesenteric artery
上腸間膜静脈	superior mesenteric vein
胃十二指腸動脈	gastroduodenal artery
肝胃間膜	gastrohepatic ligament
横隔膜脚	crus of diaphragm

吻合部	anastomosis

Ⅲ. 十二指腸　duodenum

球部	bulb, bulbus, first part
球部近位部	proximal bulb
球部遠位部，球部頂部	distal bulb, apex of bulb
前面，前壁	anterior aspect, anterior wall
後面，後壁	posterior aspect, posterior wall
上面，上壁	superior aspect, superior wall
下面，下壁	inferior aspect, inferior wall
下行部	descending part, second part
水平部	transverse part, third part
上行部	ascending part, fourth part
前壁	anterior wall
後壁	posterior wall
外壁	lateral wall, outer side
内壁	medial wall, inner side
上十二指腸角	superior duodenal angulus, superior duodenal angle
下十二指腸角	inferior duodenal angulus, inferior duodenal angle
十二指腸空腸角	duodenojejunal angulus, duodenojejunal angle
付：Treitz 靱帯	Treitz' ligament, ligament of Treitz
吻合部	anastomosis
主乳頭	major papilla, main duodenal papilla, papilla of Vater
副乳頭	minor papilla, minor duodenal papilla, accessory papilla
傍乳頭部	periampullary region
傍十二指腸部	periduodenal region
右腎	right kidney
右副腎	right adrenal gland
肝左葉	left lobe of liver
肝尾状葉	caudate lobe of liver

肝右葉	right lobe of liver
下大静脈	inferior vena cava
腹部大動脈	abdominal aorta

Ⅳ．膵臓　pancreas

膵実質	pancreas parenchyma
膵頭部	head
鉤状部，鉤状突起	uncinate process, uncus
膵頭体移行部	genu
膵体部	body
膵尾部	tail
傍膵臓部	peripancreatic region
主膵管	main pancreatic duct
副膵管	accessory pancreatic duct
分枝[1)]	branch, side branch
左側副腎	left adrenal gland
胃壁	gastric wall

Ⅴ．胆道　biliary tract[1)]

分岐部	bifurcation
胆囊管	cystic duct
総肝管	common hepatic duct
総胆管	common bile duct
共通管	common channel
傍乳頭	periampullary region
胆囊	gallbladder
胆囊頸部	gallbladder neck
胆囊体部	gallbladder body
胆囊底部	gallbladder fundus
傍胆管	peribiliary region
肝門部	hepatic hilum

Ⅵ．大腸・直腸　colorectum

大腸・直腸壁	colorectal wall
肛門管	anal canal

Ⅳ．膵臓

・分枝

1）膵管の分枝には，ERCP の用語としては branch が，EUS の用語としては，慢性膵炎臨床診断基準 2019 においても，side branch という表現が使われており，併記した．

Ⅴ．胆道

1）この解剖学的用語には管腔内超音波検査 intraductal ultrasound（IDUS）による観察部位も含む．

直腸	rectum
直腸 S 状結腸移行部	rectosigmoid junction
S 状結腸	sigmoid colon
下行結腸	descending colon
横行結腸	transverse colon
上行結腸	ascending colon
回盲部	cecum
回盲弁	ileocecal valve
回腸末端	terminal ileum
傍肛門部	perianal region
傍直腸部	perirectal region
傍結腸部	pericolonic region
前立腺	prostate gland
膀胱	urinary bladder
子宮	uterus
肛門挙筋	puborectal muscle
内括約筋	internal sphincter
外括約筋	external sphincter
吻合部	anastomosis

Ⅶ. 脈管系　vascular structures

大動脈	aorta
動脈弓	aortic arch
下行大動脈	descending aorta
腹部大動脈	abdominal aorta
奇静脈	azygous vein
頸動脈	carotid artery
腹腔動脈幹	celiac trunk
胃十二指腸動脈	gastroduodenal artery
肝動脈	hepatic artery
総肝動脈	common hepatic artery
右肝動脈	right hepatic artery
下大静脈	inferior vena cava
肝静脈	hepatic vein
左肝静脈	left hepatic vein

門脈	portal vein
門脈臍部	umbilical portion
肺動脈	pulmonary artery
腎動脈	renal artery
左腎動脈	left renal artery
左腎静脈	left renal vein
脾動脈	splenic artery
脾静脈	splenic vein
門脈合流部	portal confluence
上腸間膜動脈	superior mesenteric artery
上腸間膜静脈	superior mesenteric vein
下腸間膜静脈	inferior mesenteric vein
上大静脈	superior vena cava

内視鏡所見に関する基本用語

総　論

Ⅰ．消化管

1．壁および内腔	wall and lumen
正常内腔	normal lumen
内腔の拡大	increased caliber of the lumen
伸展	distention, distended wall
拡張	dilatation, dilated lumen, distended lumen
内腔の縮小	decreased caliber of the lumen
収縮[1]	contraction
攣縮[2]	spasm
狭小化	narrowing
狭窄[3]	stenosis, stricture
閉塞[4]	occlusion, obstruction
膜	membrane
ウェブ[5]	web
輪[6]	ring
ヘルニアと脱[7]	hernia and prolapse
変形	deformity
壁外性圧迫[8]	extrinsic compression（→6．隆起の項参照）
圧排，圧迫	compression
圧痕	impression
壁外性腫瘤	extrinsic mass
臓器自体の病変による変形[9]	intrinsic deformity
壁の異常開口	abnormal opening of the wall
憩室	diverticulum（*pl.* diverticula）
偽憩室	pseudodiverticulum

Ⅰ．消化管

・収縮

1）生理的，機能的な内径の減少，蠕動運動あるいは括約筋が閉じるため生じる．送気や圧力をかけることにより解除される．

・攣縮

2）非生理的，機能的な内腔の狭小化．鎮痙薬投与または患者の不安を除くことにより解除することができる．

・狭窄

3）臓器内腔または括約筋部の永続的狭小化．stenosis と stricture の厳密な使い分けは困難である．

・閉塞

4）内腔または括約筋が完全に閉じていること．壁の病変による場合は occlusion，内腔内に存在する障害物による場合は obstruction を用いるが，区別が困難な場合もある．

・ウェブ

5）薄くてもろい隔膜で全周性にみられる．先天性または後天性．

・輪

6）ウェブより丈夫な隔膜で全周性にみられる．

・ヘルニアと脱

7）ある部分またはその部の粘膜だけが滑脱あるいは重積のため，前方または後方に移動すること．内腔の変化と粘膜の性状から内視鏡的に推定できる．

・壁外性圧迫

8）隣接臓器またはその腫瘤による圧排．

・臓器自体の病変による変形

9）瘢痕，新生物など壁の病変によるもの．

壁の異常開口（つづき）
　瘻孔　fistula（*pl.* fistulae）
　穿孔[10]　perforation
括約筋部　sphincteric region
　正常括約筋部　normal sphincteric region
　括約筋部の閉鎖不全[11]　incompetent sphincter region, sphincter region incompetence
　括約筋部の変形　deformed sphincteric region
　攣縮（緊張）性括約筋部　spastic（*or* hypertonic）sphincteric region
　括約筋部の運動異常　dyskinetic sphincteric region
　括約筋部の狭窄　stenotic sphincteric region
　括約筋部の閉塞　occluded sphincteric region
壁の弾力性　elasticity of the wall
　正常の弾力性　normal elasticity of the wall
　壁の硬化　rigidity, rigid（*or* non-elastic）wall
壁の伸展性　distensibility of the wall
　壁の伸展不良　poor distensibility of the wall
壁の緊張　tone of the wall
　壁の緊張亢進　spastic（*or* hypertonic）wall
　壁の緊張低下　hypotonic wall
　アトニー　atonic wall
壁の蠕動　peristalsis of the wall
　正常蠕動　normal peristalsis
　蠕動の亢進　increased peristaltic contraction, hyperperistalsis, hypertensive peristalsis
　蠕動の減弱または消失　decreased peristaltic contraction, hypoperistalsis, hypotensive peristalsis or absent peristalsis, aperistalsis
　逆蠕動　retrograde peristalsis
　逆流　reflux

2. 内容物　content

唾液　saliva

Ⅰ．消化管

・穿孔

10）体腔と自由な交通を有する全層性の組織欠損をいい，被覆され交通がない場合は穿通 penetration という．

・括約筋部の閉鎖不全

11）（内視鏡観察時）恒常的に開いているもの．

2. 内容物（つづき）

分泌液	secretion, discharge
胃液	gastric juice
膵液	pancreatic juice
腸液	intestinal juice
胆汁	bile
糞便	feces
粘液	mucus
血液	blood
膿	pus
結石	stone
沈殿物	sludge
食物[12]	food
ベゾアール[13]	bezoar
異物	foreign body
（残存）縫合糸	suture[14], suture thread
寄生虫	parasite
3. 粘膜	**mucosa**
正常粘膜[15]	normal mucosa
色調の変化	change in color
褪色した，蒼白な	pale
貧血様の[16]	anemic
まだらな色調の[17]，色むらのある	variegated
変色，変色した	discoloration, discolored
発赤[18]	reddening, redness
メラノーシス[19]	melanosis
偽メラノーシス[20]	pseudomelanosis
表面の形態	surface structure
きめ	texture
表面平滑な粘膜	smooth-surfaced mucosa
表面粗糙な粘膜	rough-surfaced mucosa
光沢	luster
正常光沢	normal luster
光沢の欠如	lack of luster

Ⅰ．消化管

・食物

12）消化管内腔がからになっているべき状態で食物がみられる場合は食物残渣 food residue という表現を用いることがある．

・ベゾアール

13）胃石などに用いる．

・（残存）縫合糸

14）縫合，縫合材の両方に用いる．von Petz' clip，catgut も含む．

・正常粘膜

15）正常粘膜には特有の色調 color，光沢 luster，きめ texture，分泌液 secretion がみられ，表面 surface は平滑 smooth である．色調はピンクから赤色まで血管分布，伸展性，照明，観察距離などで変化する．きめは粘膜の表面構造の粗密・平滑粗糙など胃小区，絨毛像などの総合した表現で，通常は修飾語を伴う．臓器，部位によって特有のひだ fold がみられる．

・貧血様の

16）各臓器で正常より蒼白な色調．貧血を示唆する．

・まだらな色調の

17）萎縮のため正常の色調を失った灰白色調のまだらな粘膜．

・発赤

18）発赤にも色調は red，dark red，bright red，reddish，pink，orange，violet など種々の場合がある．発赤斑 focal red mucosa を erythema ということもある．

・メラノーシス

19）基底層のメラニン顆粒が著しく増加することにより，食道粘膜が黒色調を呈するもの．

・偽メラノーシス

20）粘膜固有層内に黄褐色色素顆粒（リポフスチン）を満たしたマクロファージが出現することにより，大腸粘膜が褐色から黒色調を呈した状態で，センナ，大黄，アロエなどのアントラキノン系大腸刺激性下剤を長期間内服することにより生じる．このマクロファージは時に粘膜下層にもみられることがある．

表面の形態（つづき）	
凹凸の有無	flatness
平坦な粘膜	flat mucosa
凹凸のある粘膜	uneven mucosa
厚さ	thickness
萎縮性[21]	atrophic
厚い	thick, thickened
肥厚性	hypertrophic
過形成性	hyperplastic
浮腫性[22]	edematous
腫脹，腫脹した	swelling, swollen
粘膜血流の変化[23]	change in mucosal blood flow
うっ血性	congested
充血性	hyperemic
易出血性[24]	friable
4. ひだ	**fold, ruga**[25]
正常ひだ[26]	normal fold
ひだの変化	change in the fold
消失[27]	disappearance
不明瞭な[27]	indistinct
細い	thin
太い[28]	thick, thickened
腫大，腫大した	enlargement, enlarged
蛇行した	tortuous
巨大ひだ[29]	giant fold, giant ruga
ひだ集中	fold convergence
集中ひだ	radiating folds, converging folds
先細り	tapering
中断	abrupt ending, abrupt cessation
棍棒状肥大，棍棒状肥厚	clubbing, club-like thickening
融合	fusion
ひだの蚕食像[30]	encroachment of the fold, eroded edge of the fold
架橋ひだ	bridging fold
5. 出血[31]	**hemorrhage, bleeding**
活動性出血[32]	active bleeding

Ⅰ．消化管

・萎縮性

21）ひだの消失した平坦な褪色した粘膜．胃では血管透見像の増強を伴う．過伸展でも同様の像を呈することがある．

・浮腫性

22）浮腫の有無を内視鏡的に判断するのは容易ではなく，慎重を要する．

・粘膜血流の変化

23）うっ血および充血の差異を内視鏡的にとらえるのは必ずしも容易ではない．

・易出血性

24）接触，送気など軽い機械的刺激により容易に出血する場合をいう．なお friable という英語は「もろい」という意味であるが，脆弱性のある粘膜は易出血性であることから，この語が用いられる．

・ひだ

25）ruga の複数は rugae.

・正常ひだ

26）ひだの太さは臓器の伸展度によって変わる．

・消失 / 不明瞭な

27）過伸展，低緊張，萎縮などによる．

・太い

28）正常粘膜に覆われ，著明に太くやわらかいひだ．通常病的所見ではない．

・巨大ひだ

29）幅広く屈曲し脳回状のひだ．病的な状態を意識した表現．

・ひだの蚕食像

30）蚕食像をしばしば moth-eaten appearance と表現してきたが，布や木の葉が虫に食われて不整形の穴があくことを連想させるため，ひだの蚕食像を表すには適当でない．

・出血

31）出血 bleeding とは血管壁の破綻によって血液が血管外に出ている状態をいう．血液は液状であることも，一部に凝血がある（凝固している）ことも，変性している（塩酸によってヘモグロビンが塩酸ヘマチンに変化する）こともある．出血 hemorrhage という場合，出血 bleeding とその結果生じる病変（出血の痕跡 stigmata of bleeding）を含む．出血が持続している時期を出血期 intrahemorrhagic period，active bleeding が止まって，出血の痕跡のみがみられる時期を止血期 post-hemorrhagic period と呼ぶ．黒色の凝血が数日点状に出血部位に残っていることがある．出血については Forrest 分類が用いられる（**表 1**）．

・活動性出血

32）出血部位の大きさによって点状出血 bleeding point，斑状出血 bleeding spot，出血面 bleeding area，びまん性粘膜出血 diffuse mucosal bleeding などに分類される．

活動性出血（つづき）	
にじみ出る[33]	oozing
したたる	trickling, dripping
流れ出る[34]	flowing
噴出する[35]	spurting
拍出する	pulsating
大量出血	massive bleeding
出血の痕跡	stigmata of bleeding
凝血塊	clot
コーヒー残渣様内容物[36]	coffee ground-like material, altered blood
露出血管[37]	exposed blood vessels
粘膜内出血[38]	intramucosal hemorrhage
点状出血	petechia
斑状出血	ecchymosis
広範性出血	suffusion
血腫	hematoma
黒色点，黒色斑[39]	blood pigment point, blood pigment spot
出血性びらん[40]	hemorrhagic erosion

表1　Forrest 分類

Active bleeding（**活動性出血**）：	
Ⅰa	Spurting hemorrhage（噴出性出血）
Ⅰb	Oozing hemorrhage（にじみ出る出血）
Recent bleeding（**最近の出血**）：	
Ⅱa	Visible vessel（露出血管）
Ⅱb	Adherent clot（凝血塊）
Ⅱc	Hematin-covered lesion（ヘマチンに覆われた病変）
No bleeding（**出血なし**）：	
Ⅲ	No signs of recent hemorrhage（最近の出血なし）

〔Heldwein W, Schreiner J, Pedrazolli J, et al：Is the Forrest classification a useful tool for planning endoscopic therapy of bleeding peptic ulcers? Endoscopy 21：258-262, 1989 に基づく OMED（Organisation Mondiale d'Endoscopie Digestive,　現 WEO［World Endoscopy Organization］）の Minimal Standard Terminology for Gastrointestinal Endoscopy MST 3.0 より引用・改変〕
（Forrest JA, Finlayson ND, Shearman DJ：Endoscopy in gastrointestinal bleeding. Lancet 2：394-397, 1974）

Ⅰ．消化管

・にじみ出る

33）毛細血管性．

・流れ出る

34）静脈性と動脈性の場合があり，血液が暗赤色なら静脈性，鮮紅色なら動脈性．

・噴出する

35）動脈性出血，露出動脈が見えることがある．

・コーヒー残渣様内容物

36）出血源を確認しなければならない．

・露出血管

37）出血後潰瘍底などにみられる．

・粘膜内出血

38）小さいものは petechia（e）として認められる．広範にみられる場合は ecchymosis または suffusion と呼ぶ．内腔への出血との鑑別が必要．

・黒色点，黒色斑

39）変性したヘマチンの付着による黒色の点または斑．出血の後期を示唆する．

・出血性びらん

40）線状ないし円形の粘膜欠損で，活動性出血ないし出血の痕跡（ヘマチンの付着）を伴うもの．

5. 出血（つづき）

出血源	source of bleeding
人工的出血[41]	traumatic（*or* artifactual）bleeding
接触出血	contact bleeding
粘膜出血[42]	mucosal bleeding
病変からの出血	bleeding from lesion
6. 隆起	**protrusion（図 9）**
顆粒	granule
顆粒状	granular
結節[43]	nodule
結節状	nodular
敷石像[44]	cobblestone appearance
隆起性病変[45]	protruding lesion, elevated lesion
ポリープ[46]	polyp
ポリポーシス[47]	polyposis
ポリープ様病変[45]	polyp-like lesion

Ⅰ．消化管

・人工的出血

41）内視鏡操作，gagging などによって生じた出血．一般に狭くて機器と接触しやすい部位にみられる．

・粘膜出血

42）粘膜の病変による出血．人工的出血と異なり，機器が接触した部位とは異なる部位に所見を認める．

・結節

43）径数 mm までの隆起．granule より大きい．

・敷石像

44）粘膜と粘膜下層，とくに後者が腫脹し，線状の亀裂ないし小さなびらんや潰瘍で粘膜が玉石を敷きつめたように見える．Crohn 病に典型的な所見．

・隆起性病変 / ポリープ様病変

45）隆起性病変 protruding lesion という語はポリープ，丘状隆起，Ⅰ型，Ⅱa 型早期胃癌，粘膜下腫瘍などをも含め，良・悪性を問わず隆起を形成するものに用いる．我が国では隆起性病変に対して polypoid lesion（望月孝規：胃の腺腫についての考察．胃と腸 22：633-640，1987 参照）が多く用いられているが，polyp という語が臓器によって異なる意味で用いられ，歴史的にも混乱があるのに加えて，polypous，polyp-like，pseudopolyp など種々の言葉が国際的に用いられている現状から，混乱を避けるために，隆起性病変の英訳として純粋に記述的な protruding lesion を選んだ．

隆起性病変の記述には数 number，大きさ size，茎の有無 presence or absence of the stalk（有茎性 pedunculated，亜有茎性 semipedunculated，無茎性 sessile），表面粘膜の性状 appearance of the overlying mucosa（平滑 smooth，絨毛状 villous，結節状 nodular，分葉状 lobular，潰瘍形成性 ulcerated など），色調 color，境界 demarcation（明瞭 well demarcated，不明瞭 poorly demarcated，poorly defined），周辺粘膜 surrounding mucosa の性状，部位 location などに言及する必要がある．MST では隆起性病変の 1 つとして papule（丘状隆起）という語を導入し，充実性で広基性の直径数 mm ～ 1cm の粘膜性隆起を表現している．papule には正常粘膜で覆われているもの，中心陥凹を有するもの，中心にアフタ様の斑を有するもの，出血を伴うものなどがある．

・ポリープ

46）頭部としばしば茎部を有する境界明瞭な粘膜性隆起．有茎性 pedunculated，亜有茎性 semipedunculated，無茎性 sessile などに分類される．孤立性，集簇性，散在性，ないしびまん性にみられる．

・ポリポーシス

47）ある臓器の広い範囲にきわめて多数のポリープが存在する場合をいう．

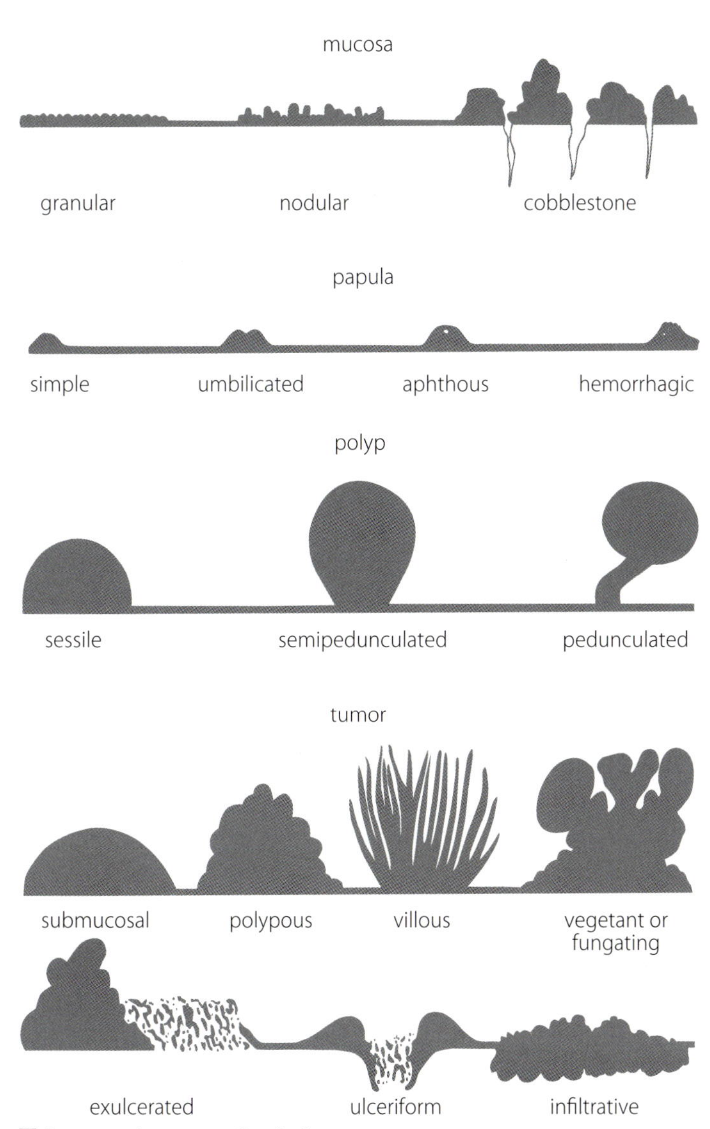

図 9　protrusion, protruding lesions

〔Maratka Z：Terminology, Definitions and Diagnostic Criteria in Digestive Endoscopy. 3rd to 7th 2021 editions, p14, Normed, 1994 より引用〕

ポリープ様病変（つづき）	
炎症性ポリープ[48]	inflammatory polyp
粘膜垂，粘膜ひも	mucosal tag
偽ポリープ[49]	pseudopolyp
腫瘍，腫瘤[50]	tumor, mass
腫瘤形成性[51]	fungating
絨毛状，乳頭状	villous, papillary
潰瘍形成性	ulcerative
がん（癌）[52]	cancer
癌腫	carcinoma
肉腫	sarcoma
リンパ腫	lymphoma
血管性隆起	vascular protrusion
血管腫	hemangioma
静脈瘤	varix（*pl.* varices）
静脈拡張	phlebectasia
粘膜下腫瘤（癌）[53]	submucosal tumor
上皮下腫瘍（病変）[54]	subepithelial tumor（SET）, subepithelial lesion（SEL）
壁外性圧迫	extrinsic compression

7. 平坦粘膜病変[55]および血管像　flat mucosal lesions and vascular pattern

付着物[56]	deposit
偽膜	pseudomembrane

Ⅰ．消化管

・炎症性ポリープ

48）一般に炎症性腸疾患に随伴してみられる隆起に対して用いられる．炎症性ポリープには粘膜の過形成によるものと既存の粘膜がたるんで形成されるものとがある．従来，後者に対して pseudopolyp という表現が用いられていた．

・偽ポリープ

49）一過性に生じて，ポリープ様に見える隆起．従来，炎症性ポリープの一部（註48参照）に対して pseudopolyp という語を用いたが，pseudopolyp という表現はこの意味に用いるべきではない．

・腫瘍，腫瘤

50）tumor という語は腫瘍・腫瘤両方の意味に用いる．腫瘍という語は厳密には neoplasm に対応する言葉である．腫瘤という意味では tumor は隆起性病変 protruding lesion と同義語になる．ポリープおよび丘状隆起 papule は別に扱った．当然のことながら，腫瘍（neoplasm）は隆起性病変ではない場合もあるが，便宜上ここで扱った．

・腫瘤形成性

51）不整形，表面粗糙でしばしば潰瘍形成，出血，びらん，壊死などを伴う．tumor を修飾する記述的な言葉としてここでは fungating を挙げてある（fungating tumor）が，腫瘤形成性という日本語に本来対応する英語は tumor-forming である．

・がん（癌）

52）上皮性，非上皮性を問わず，悪性腫瘍をがん（癌）といい〔一般社団法人日本癌治療学会用語・ICD-11 委員会　用語集（2013 年版）．http://www.jsco.or.jp/jpn/user_data/upload/File/yougo13.pdf 参照〕，上皮性のものを癌腫 carcinoma，非上皮性のものを肉腫 sarcoma と呼ぶ．平仮名の「がん」は白血病を含めてすべての悪性腫瘍を意味し，漢字の「癌」は上皮性悪性腫瘍を意味するものとして区別して書く考えもある．

・粘膜下腫瘤（癌）

53）粘膜下腫瘤には，間葉系腫瘍（mesenchymal tumor）である，消化管間質腫瘍（gastrointestinal stromal tumor：GIST）や平滑筋（肉）腫，脂肪（肉）腫，神経鞘腫，さらには，神経内分泌腫瘍や異所性膵などが含まれる．また，近年では，同義語として，subepithelial tumor（SET），subepithelial lesion（SEL）も，広く用いられているため追記した．

・上皮下腫瘍（病変）

54）粘膜下腫瘤（癌）とほぼ同義．

・平坦粘膜病変

55）針先大のものは点状病変 point，ある程度の面をなすものは斑状病変 spot と呼ぶ．

・付着物

56）滲出液，粘液，フィブリン，膿，壊死物質，菌糸など．小さいものは斑状付着物 plaque，広範囲の場合は偽膜 pseudomembrane と呼ぶ．

7. 平坦粘膜病変および血管像（つづき）

アフタ[57]	aphtha
浸潤[58]	infiltration
血管像	vascular pattern
正常血管像[59]	normal vascular pattern
血管透見[60]	visible vascular pattern
血管像の変化	change in vascular pattern
消失	loss（of visible vascular pattern）
不明瞭な	indistinct
増強した	exaggerated
血管拡張症[61]	angioectasia, angiectasia
毛細血管拡張症	telangiectasia
8. 陥凹性病変[62]	**excavated lesion, depressed lesion**
欠損	defect
潰瘍性病変[63]	ulceration
びらん[64]	erosion

Ⅰ．消化管

・アフタ

57）黄ないし白色斑でしばしば紅暈を伴う炎症性変化．粘膜表層の欠損を肉眼的に確認困難な場合がある．

・浸潤

58）炎症や腫瘍によって生ずる，平坦ないしわずかに隆起した斑または面で，ひだの乱れ，壁の硬化を伴う．

・正常血管像

59）粘膜下の血管網の透見は臓器によって異なる．

・血管透見

60）IEE 診断や，潰瘍性大腸炎の内視鏡スコアでは vascular pattern が用いられている．

・血管拡張症

61）しばしば下部消化管出血の原因になる病変で，従来，血管形成異常 vascular malformation や血管異形成 angiodysplasia の語が用いられているが，血管の変性，したがって，後天的な原因で生ずることを Boley らが指摘し，vascular ectasia（ないし angioectasia あるいは angioectasis）がより適当であるといっている（Boley SJ，Brandt LJ：Vascular ectasias of the colon--1986. Dig Dis Sci 31：26S-42S，1986 参照）．しかしながら，vascular ectasia という表現には造語上の違和感もあり，OMED 編纂の Minimal Standard Terminology for Gastrointestinal Endoscopy（MST）3.0 に収載されている “angioectasia” を今回採用することにした．

・陥凹性病変

62）depressed lesion は excavated lesion より浅い陥凹に用いられることが多い．depression という語は excavated lesion も含め，深さを問わず陥凹性変化全般に用いることがある．いずれも良・悪性にかかわらず用いられる．
陥凹性病変の記述には数 number，大きさ size，形状 shape（円形 round，卵円形 oval，線状 linear，不整形 irregular-shaped など），陥凹底 base あるいは floor の性状（色調 color，きめ texture，出血の有無，白苔の性状，島状粘膜残存の有無など），境界 demarcation（明瞭 clearly demarcated，不明瞭 ill-demarcated あるいは ill-defined），辺縁 border（下掘れ undermining の有無，蚕食像 encroachment の有無，周堤 marginal swelling の有無・性状など），周辺粘膜 surrounding mucosa の性状（集中ひだ radiating folds の有無など），部位 location などに言及する必要がある．

・潰瘍性病変

63）良・悪性，深さを問わず，欠損を伴った病変に用いる．

・びらん

64）粘膜の部分的欠損．Ⅱc 型早期胃癌にみられる蚕食像は encroachment あるいは eroded，irregular margin などと表現する．

8. 陥凹性病変（つづき）

アフタ	aphtha（→ 7. 平坦粘膜病変および血管像の項参照）
潰瘍[65]	ulcer
潰瘍瘢痕	ulcer scar
裂傷[66]	tear
裂溝[67]	fissure

9. 術後の状態　postoperative state

吻合口	（anastomotic） stoma
開存した	patent
狭窄を伴った	stenotic
吻合部	anastomotic site
縫合線	suture line

Ⅱ. 胸腔・腹腔[1] および縦隔[2] pleural/peritoneal（*or* abdominal） cavity/mediastinum

1. 壁および体腔形態の変化　change in the wall and cavity

奇形	malformation
欠損[3]	defect
形成不全	hypoplasia
無形成	agenesis
変形，変形した	deformity, deformed
外因性の変形	extrinsic deformity
圧排・圧迫，圧排・圧迫された	compression, compressed
臓器自体の病変による変形[4]	intrinsic deformity

2. 内容物　content

胸水 / 腹水[5]	pleural/intraperitoneal effusion, ascites
滲出液，滲出性	exudate, exudative
濾出液，濾出性	transudate, transudative
血性	bloody
膿汁	pus, purulent fluid
膿瘍	abscess
膿瘍腔	abscess cavity
蓄膿	empyema

Ⅰ．消化管

・潰瘍

65）潰瘍という語を単独に用いる場合，一般的には良性の潰瘍をさす．活動期には白苔 slough に覆われた crater（深い陥凹）を有する．白苔の表現に coat，fur などの語は避けたほうがよい．なお Belag(ベラーク)という言葉はドイツ語である．

・裂傷

66）狭い割れ目ないし裂け目．出血性病変であることが多い．

・裂溝

67）肉芽腫性炎症にしばしばみられる深い狭い裂隙状潰瘍．

Ⅱ．胸腔・腹腔および縦隔

・胸腔・腹腔

1）胸腔，腹腔ならびにそれを形成する壁の胸腔鏡と腹腔鏡所見に関連した用語を取り扱う．

・縦隔

2）上縦隔 superior mediastinum，前縦隔 anterior mediastinum，中縦隔 middle mediastinum，後縦隔 posterior mediastinum に区分され，疾患にも特異性がある．

・欠損

3）胸壁，腹壁，横隔膜の欠損は，変形，ヘルニアの原因となる．

・臓器自体の病変による変形

4）瘢痕，新生物など壁の病変によるもの．

・胸水／腹水

5）漿液性 serous，線維素性 fibrinous，線維素・膿性 fibrinopurulent，乳び状 chylous，漿液・血性 serous hemorrhagic（bloody）などと表現されることもある．

2. 内容物（つづき）

消化管内容物[6]	gastrointestinal content, gastrointestinal fluid
貯留，貯留した[7]	collection, collected
漏出（口），漏出した	leak, leaked
漏出（物）	leakage
溢出（遊出），溢出（遊出）した[8]	extravasation, extravasated

3. 臓器の異常所見[9]　abnormal findings of organs in pleural/peritoneal（*or* abdominal）cavity

位置異常	malposition, positional anomaly
偏位，偏位した	displacement, displaced
漿膜の変化[10]	change in the serosa
炎症，炎症性	inflammation, inflammatory, inflamed
カタル性	catarrhal, catarrhalis
蜂巣（蜂窩織）炎性	phlegmonous, phlegmonosa
壊疽性	gangrenous, gangrenosa
腫瘍，腫瘍性	tumor, tumorous
外傷，外傷性	trauma, traumatic
外傷を与える	traumatize
損傷，損傷を受けた	injury, injured
浮腫，浮腫性	edema, edematous
瘢痕，瘢痕化した	scar, scarred
癒着，癒着した，癒着性[11]	adhesion, adhered, adhesive
石灰化，石灰化した	calcification, calcified
肥厚，肥厚した	thickening, thickened
腫脹，腫脹した	swelling, swollen
膨隆，膨隆した	bulge, bulging
占居，占居した	occupation, occupied
拡張，拡張した[12]	distention, distended
嵌頓，嵌頓性	incarceration, incarcerated
絞扼，絞扼性	strangulation, strangulated
重積，重積性	invagination, intussusception, invaginated
捻転，捻転性	torsion, torsional

Ⅱ．胸腔・腹腔および縦隔

・消化管内容物

6）胃液 gastric juice，腸液 intestinal juice，糞便 feces，胆汁 bile などを総称する．

・貯留，貯留した

7）管腔内に内容物が溜まっている場合と内容物が管腔内から流出して胸腔あるいは腹腔内に貯留した場合とは，英語では区別して表現される．collection は後者の表現型である．

・溢出（遊出），溢出（遊出）した

8）元来，血液，リンパ液などの管外遊出（溢出）などが extravasation という言葉で表現されるが，造影剤が流出して胸腔・腹腔内に貯留した場合などは collection of contrast material などと表現される．

・臓器の異常所見

9）壁，管腔臓器，実質臓器の病変による外側から見た異常を表現する用語を取り扱う．臓器自体の病変による変形 intrinsic deformity もこの範疇に含まれる．

・漿膜の変化

10）炎症，腫瘍，その他の病変に起因する壁の病的所見を表現する用語を取り扱う．

・癒着，癒着した，癒着性

11）癒着の程度を表現する言葉としては，密な dense，粗な loose，強固な tight，線維性 fibrous などがあり，またその性状を表現する用語には，索状 band-like，膜状 membranous などがある．

・拡張，拡張した

12）管腔臓器の拡張は，内腔の閉塞 obstruction，内容物のうっ滞 stasis（-ses），蓄積 accumulation に起因する．

漿膜の変化（つづき）	
旋回，旋回性	volution, voluted
腸軸捻転	volvulus
隆起，隆起性病変	protrusion, elevation, protruding lesion, elevated lesion
顆粒，顆粒状	granule, granular
結節，結節性	nodule, nodular
腫瘍，腫瘍性	tumor, tumorous
腫瘤形成性	tumor forming
粘膜下腫瘍	submucosal tumor
嚢腫，嚢腫性	cyst, cystic
管内性発育	intraluminal growth
管外性発育	extraluminal growth
血管性隆起	vascular protrusion
血管腫	hemangioma
静脈瘤	varix（*pl.* varices）
平坦病変	flat lesion
斑点，斑点状	spot, spotted
浸潤，浸潤性	invasion, infiltration, invasive, infiltrative
漿膜（癌）浸潤	serosal invasion
硬度の変化[13]	change in consistency
壁の異常開口	abnormal opening
瘻孔	fistula（*pl.* fistulae）
憩室	diverticulum（*pl.* diverticula）
破裂，破裂した	rupture, ruptured
穿孔，穿孔性	perforation, perforated, perforative
術後の状態	postoperative state
吻合部	anastomotic site
縫合不全	anastomotic leak
縫合不全部	anastomotic leak site
漏出，漏出物	leakage
縫合線	suture line
4. 血流の変化	**change in blood flow**
出血，出血性	bleeding, hemorrhage, hemorrhagic

Ⅱ．胸腔・腹腔および縦隔

・硬度の変化

13）硬いという表現法には，骨性硬 bony hard，石様硬 stony hard，stone-like consistency，軟らかい物には，軟らかい soft，泥様 muddy，粘土状 clay-like consistency，軟骨様 cartilaginous，また硬さ以外の性状を表現するには，堅固な firm，弾性のある elastic，緊張した tense，圧縮できる・圧縮性の compressible，整復・還納できる reducible などの形容詞が用いられる．

4. 血流の変化（つづき）

うっ血，うっ血性	congestion, congested
充血，充血性	hyperemia, hyperemic
阻血，阻血性	ischemia, ischemic
血腫	hematoma
血管新生	neovascularization, angiogenesis
腫瘍血管	tumor vessel

5. リンパ節，リンパ管の変化　change in lymph node and lymphatic vessels

炎症性腫大	inflammatory swelling of lymph node
リンパ浮腫	lymphedema
リンパ腫	lymphoma
リンパ管腫	lymphangioma
転移，転移性	metastasis, metastatic

Ⅲ. 超音波内視鏡に関する基本用語[1)]

1. 大きさ　size

(X or X×Y mm)

2. 形状　shape

円形	round
楕円形	oval
三角形	triangular
三日月形	crescent-shaped
曲がった	tortuous
管状の	tubular
房状の	lobulated
無茎性の	sessile
有茎性の	pedunculated
潰瘍性の	ulcerated
不規則な	irregular
全周性の	circumferential
巨大化した	enlarged
萎縮した	atrophic
全体に広がった	diffused, generalized
限局した	localized

Ⅲ．超音波内視鏡に関する基本用語

1）内視鏡手技に関する基本用語Ⅱ．超音波内視鏡検査の項参照のこと．日本超音波医学会会告「腹部関係医用超音波用語について」（Jpn J Med Ultrasonics 13：202-205, 1986）は参考になる．

2. 形状（つづき）	
結節状の	nodular
3. 表面構造	**surface**
平滑な	smooth
荒い	rough
乳頭状の	papillary
潰瘍を伴った	ulcerated
びらんを伴った	erosive
4. 境界エコー	**margin**
平滑な	smooth
不規則な	irregular
境界エコーのない	loss of interface
浸潤した	invading
壁内発育を伴った	with intraluminal growth
5. 内部エコー	**echo features**
正常	normal echo features
無エコー	anechoic
低エコー	hypoechoic
等エコー	isoechoic
高エコー	hyperechoic
点状高エコー	hyperechoic foci[2)]
索状高エコー	hyperechoic strands[2)]
顆粒状	granular
隔壁のある	septated
嚢胞状の	cystic
多嚢胞状の	multicystic
実質の	solid
側方陰影，外側陰影	lateral shadow
音響陰影	acoustic shadow
後方エコー増強	posterior echo enhancement
6. エコー・パターン	**echo pattern**
均一な	homogeneous
不均一な	heterogeneous
無エコー域を伴った	with multiple anechoic area
低エコー域を伴った	with multiple hypoechoic area

Ⅲ. 超音波内視鏡に関する基本用語

・hyperechoic foci/hyperechoic strands

2）この２つの用語は，慢性膵炎の超音波内視鏡像に特徴的な，膵実質の所見である hyperechoic foci，hyperechoic strands，lobularity，cyst と，膵管の所見である dilated duct，hyperechoic ductal margins，visible side branch，irregularity of pancreatic duct，calcification のなかから引用した〔Lees WR：Endoscopic ultrasonography of chronic pancreatitis and pancreatic pseudocysts. Scand J Gastroenterol 21（suppl 123）：123-129, 1986〕.

不均一な（つづき）	
高エコー域を伴った	with multiple hyperechoic area
ブドウの房状の	lobulated
多房性の	multilocular
単房性の	monolocular
嚢胞壁と内部隔壁	cyst wall and septum
隔壁肥厚のない	without thickness of the septum
内部隔壁の肥厚のある	with thickness of the septum
非常におぼろげな点状高エコーを伴った	with fuzzy hyperechoic foci
壁在結節のある	with mural nodule
壁在乳頭状結節のある	with papillary nodule

7. 層構造[3)]　**layer pattern**

第1層	the first layer
第2層	the second layer
第3層	the third layer
第4層	the fourth layer
第5層	the fifth layer
第6層	the sixth layer
第7層	the seventh layer
第8層	the eighth layer
第9層	the nineth layer
第10層	the tenth layer
第11層	the eleventh layer
第12層	the twelveth layer
第13層	the thirteenth layer

Ⅲ. 超音波内視鏡に関する基本用語

・層構造

3）超音波内視鏡では正常な消化管壁は5層から13層構造に描出される．一般に，使用超音波の周波数が高いほど多層構造に描出される．層構造は内腔側から第1層，第2層と順番に呼称されるが，上皮や粘膜筋板，筋間結合織エコーが描出されるか，また，粘膜下層が3層に分かれて描出されるかなどの影響により対応する組織学的構造が変化する．層構造の解釈は，コンセンサスミーティングについての文献（山中桓夫，木村義人，橋本博子，他：コンセンサスミーティング1：EUS壁構造の解釈．Gastroenterol Endosc 43：1091-1092, 2001）および**図10**（Gastroenterol Endosc 43：1091-1092, 2001より引用改変）を参照．

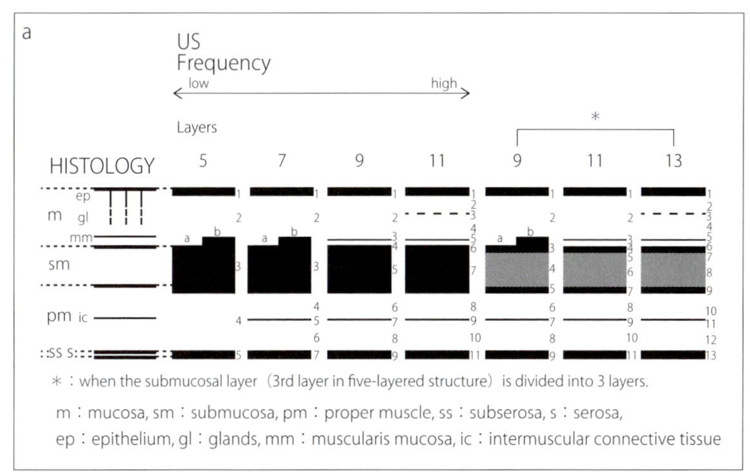

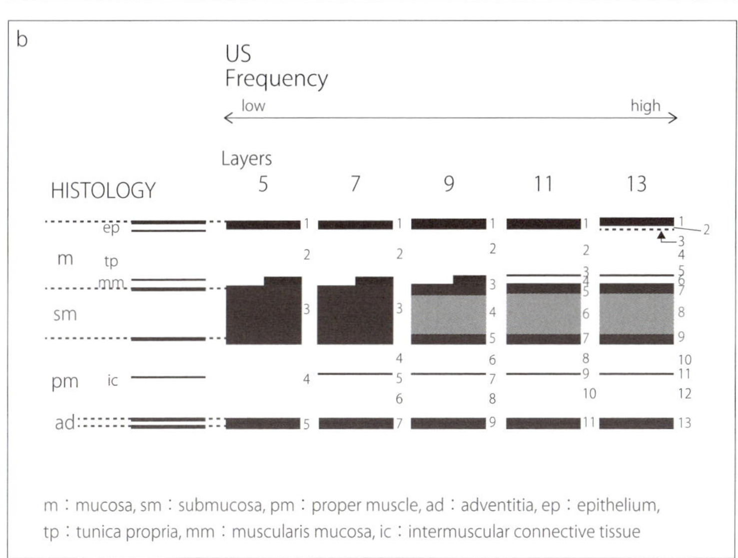

図 10　a：超音波内視鏡による胃壁・大腸壁の層構造の解釈
b：超音波内視鏡による食道壁の層構造の解釈

〔山中桓夫，木村義人，橋本博子，他：コンセンサスミーティング 1：EUS 壁構造の解釈．Gastroenterol Endosc 43：1091-1092, 2001 より引用改変〕

各　論

Ⅰ．食道　esophagus

1．壁および内腔　wall and lumen

攣縮	spasm
びまん性攣縮	diffuse spasm
狭窄	stenosis, stricture
食道裂孔狭小	hiatal narrowing
拡張	dilation, dilatation
膜	membrane
ウェブ[1]	web
輪	ring
Schatzki 輪	Schatzki ring
血管輪[2]	vascular ring
ヘルニアと脱	hernia and prolapse
滑脱ヘルニア	sliding hernia
傍食道ヘルニア	paraesophageal hernia
胃食道脱[3]	gastroesophageal prolapse
変形	deformity
外因性の変形	extrinsic deformity
圧排，圧迫[4]	compression
壁の異常開口	abnormal opening of the wall
食道憩室[5]	esophageal diverticulum
下咽頭憩室	hypopharyngeal（*or* Zenker's）diverticulum
気管分岐部憩室	tracheobronchial diverticulum
横隔膜上憩室	epiphrenic diverticulum
瘻孔	fistula
食道気管瘻	esophagotracheal fistula
食道気管支瘻	esophagobronchial fistula
食道縦隔瘻	esophagomediastinal fistula
括約筋部	sphincteric region
上部食道括約筋[6]	upper esophageal sphincter
下部食道括約筋[7]	lower esophageal sphincter

Ⅰ．食道

・ウェブ

1）代表的なものに Plummer-Vinson（Patterson-Kelly）症候群でみられるウェブがある（総論Ⅰ．消化管，1．壁および内腔の項参照）．

・血管輪

2）血管の走行異常が食道および気管の圧迫症状を起こすことが知られている．完全な血管の輪状構造を示すものもあるが，右鎖骨下動脈の走行異常（arteria lusoria）によって生じた上部食道の拍動する横走隆起と管腔の狭小化とか重複大動脈弓，右大動脈弓などでの狭小化をさす．

・胃食道脱

3）裂孔の不全状態において，とくに腹圧上昇時に胃壁が食道終末部に陥入する状態をいう．

・圧排，圧迫

4）圧排の原因として，大動脈弓，気管，気管支，頸椎，脊椎，心臓などが挙げられる．

・食道憩室

5）内視鏡的には，食道憩室の局在は切歯からの距離で記載されることが多い．

・上部食道括約筋

6）上部食道括約部には頸部食道の筋および輪状咽頭筋，下咽頭収縮筋が関与しているが，主にその収縮機能を担っているのは輪状咽頭筋である．

・下部食道括約筋

7）イヌなどの動物では解剖学的に明らかな輪状筋の肥厚があり，括約筋の存在が認められている．ヒトでは括約筋は明瞭ではないものの，括約機能が存在している．下部食道の括約機能には，下部食道括約部の筋に加えて横隔膜脚も関与している．

下部食道括約筋（つづき）	
（下部食道括約部の弛緩不全）[8]	(impaired lower esophageal sphincter relaxation)
蠕動運動	peristalsis
蠕動運動の消失[9]	absent peristalsis
胃食道逆流	gastroesophageal reflux
2. 内容物	**content**（→総論参照）
3. 粘膜	**mucosa**（→総論参照）
4. ひだ	**fold**（→総論参照）
5. 出血	**hemorrhage, bleeding**
Mallory-Weiss 症候群	Mallory-Weiss syndrome〔→ 8. 陥凹性病変（食道）参照〕
出血性食道静脈瘤	bleeding esophageal varices〔→ 6. 隆起（食道）参照〕
6. 隆起	**protrusion**
顆粒	granule
グリコーゲン・アカントーシス[10]	glycogenic acanthosis
隆起性病変	protruding lesion, elevated lesion
腫瘍	tumor
乳頭腫[11]	papilloma
顆粒細胞腫[12]	granular cell tumor
平滑筋腫	leiomyoma

Ⅰ．食道

・(下部食道括約部の弛緩不全)

8）正常では嚥下時に下部食道括約部が弛緩するが，食道アカラシアでは下部食道括約部の弛緩不全が認められる．

・蠕動運動の消失

9）アカラシアなどでみられる．

・グリコーゲン・アカントーシス

10）従来，ロイコプラキー leukoplakia と呼ばれていたが，組織学的には，上皮細胞の過形成と細胞質内に多量のグリコーゲンを含む状態で，口腔内のロイコプラキーのごとく前癌性性格をもたないことから，glycogenic acanthosis（GA）と呼ぶほうが適当である．グリコーゲンを含まないものは aglycogenic acanthosis と呼ばれる．

・乳頭腫

11）典型的には無茎性隆起で乳頭状の表面構造を呈する．

・顆粒細胞腫

12）典型的には黄白色で大臼歯状の形態を呈する．

腫瘍（つづき）	
食道癌	carcinoma of the esophagus（**表 2**）, esophageal cancer
食道表在癌[13]	superficial esophageal cancer（**表3**）
進行食道癌	advanced esophageal cancer
血管性隆起	vascular protrusion
食道静脈瘤	esophageal varices（**表 4**）

表 2　食道癌の病型分類

癌腫の壁深達度が肉眼的に粘膜下層までと推定される病変を「表在型」とし，固有筋層以深に及んでいると推定される病変を「進行型」とする．「表在型」は 0 型とし，0- Ⅰ，0- Ⅱ，0- Ⅲに亜分類する．「進行型」は 1，2，3，4 型の基本型のいずれかに分類する．0 ～ 4 型ないしその組み合わせで表現できない病変を 5 型とする．5 型は化学療法や放射線療法などの治療により元の病型から変化して分類が困難になった病変も含む．

病型分類の基本は肉眼型な病型分類である．X 線所見，内視鏡所見も肉眼的な病型分類に準ずる．

病型分類

0 型	表在型	0	superficial type
1 型	隆起型	1	protruding type
2 型	潰瘍限局型	2	ulcerative and localized type
3 型	潰瘍浸潤型	3	ulcerative and infiltrative type
4 型	びまん浸潤型	4	diffusely infiltrative type
5 型	分類不能型	5	unclassified type
5a	未治療	5a	unclassified type without treatment
5b	治療後	5b	unclassified type after treatment [註 1, 2)]

註 1）薬物療法や放射線療法前の病型を記載する．
前治療を受けた症例には記号を付け，変化が少なく 1 ～ 4 の基本型に分類可能なものは 1 ～ 4 の基本型に，効果が大きく分類不能な場合は分類不能型（5 型）とする．

註 2）前治療が行われている場合はその旨を記載し，病型を記載する．
［記載方法］CT-3 型，CRT-5b 型，EMR-0-Ⅱ c

表在型（0 型）の亜分類

0-Ⅰ型	表在隆起型	0-Ⅰ	superficial and protruding type
0-Ⅰ p	有茎性	0-Ⅰp	pedunculated type
0-Ⅰ s	無茎性（広基性）	0-Ⅰs	sessile（broad based）type
0-Ⅱ型	表面型	0-Ⅱ	superficial and flat type
0- Ⅱ a	表面隆起型	0-Ⅱa	slightly elevated type
0- Ⅱ b	表面平坦型	0-Ⅱb	flat type
0- Ⅱ c	表面陥凹型	0-Ⅱc	slightly depressed type
0-Ⅲ型	表在陥凹型	0-Ⅲ	superficial and excavated type

その他の表記法

註 1）混合型：複数の基本型が混在する場合，混合型と呼ぶ．面積の広い病型から先に記載し，＋でつなぐ．深達度が最も深い病型にダブルクォーテーション（“”）を付す．この場合，主たる病型とは深達度が最も深いものである．ただし，表在型と進行型が混在する場合は進行型を先に記し，ダブルクォーテーションは不要である．
例：0- Ⅱ c ＋ “0- Ⅰ s”，3 ＋ 0- Ⅱ c

註 2）表層拡大病変 superficial spreading type：病変の最大径が 5cm 以上ひろがる 0- Ⅱ型の表在型病変である．病型分類に付記してもよい．

〔日本食道学会（編）：臨床・病理 食道癌取扱い規約．第 12 版，金原出版，2022 より引用〕

Ⅰ．食道

・食道表在癌

13）癌腫の壁深達度が粘膜内にとどまるものを早期食道癌 early carcinoma of the esophagus，粘膜下層までにとどまるものを表在癌 superficial carcinoma of the esophagus と呼び，いずれもリンパ節転移の有無は問わない．

表 3　食道表在癌の拡大内視鏡分類

本分類は扁平上皮癌が疑われる領域性のある病変（註 1）を対象とした．境界病変（註 2）で見られる血管を Type A，癌で見られる血管を Type B とし，Type B を B1，B2，B3 に亜分類した．亜分類の目的は深達度診断であり，T1a EP，LPM の SCC に見られる所見が Type B1，T1a MM，T1b SM1 が Type B2，T1b SM2 以深が Type B3 に概ね該当するように分類した．

Type A：血管形態の変化がないか軽度なもの．
乳頭内血管（intra-epithelial papillary capillary loop：IPCL）（註 3）の変化を認めないか，軽微なもの．

Type B：血管形態の変化が高度なもの．
● B1：拡張・蛇行・口径不同・形状不均一のすべてを示すループ様の異常血管（註 4）．
● B2：ループ形成に乏しい異常血管（註 5）．
● B3：高度に拡張した不整な血管（註 6）．
● avascular area（AVA）：type B 血管で囲まれた無血管もしくは血管が粗な領域を AVA とし，その大きさから 0.5mm 未満を AVA-small，0.5mm 以上 3mm 未満を AVA-middle，3mm 以上を AVA-large と表記する．
AVA-small は深達度 EP-LPM，AVA-middle は深達度 MM-SM1，AVA-large は深達度 SM2 に相当する．
ただし，B1 血管のみで構成される AVA は大きさにかかわらず深達度 EP-LPM に相当する．
付記 1：不規則で細かい網状（reticular：R）血管を認めることがあり，低分化型，INFC，特殊な組織型を示す食道癌のことが多いので，R と付記する．
付記 2：Brownish area（415，540nm を中心とした狭帯域光観察にて茶色域を呈する領域）を構成する血管と血管の間の色調を Inter-vascular background coloration：血管間背景粘膜色調と称する．
註 1：通常観察または画像強調観察（色素法，デジタル法，光デジタル法）にて境界の追える病変．
註 2：主として扁平上皮内腫瘍（Intraepithelial neoplasia）だが，一部に炎症や癌が含まれることがある．
註 3：扁平上皮乳頭内のループ状血管．健常では 7 ～ 10 μm 程度の血管径を示す．
註 4：ドット状，らせん状，糸くず状などのループ様形態を示し，血管径が 20 ～ 30 μm 程度．
註 5：多重状（multi layered：ML），不整樹枝状（irregularly branched：IB）など，ループを形成しない異常血管．
註 6：B2 血管の約 3 倍以上で，血管径が約 60 μm を越える不整な血管．

〔日本食道学会：食道表在癌の拡大内視鏡分類より引用〕

表 4　食道胃静脈瘤内視鏡所見記載基準

<table>
<tr><th></th><th>食道静脈瘤 esophageal varices［EV］</th><th>胃静脈瘤 gastric varices［GV］</th></tr>
<tr><td>占居部位
location［L］</td><td>Ls：上部食道 superior にまで認められる静脈瘤
Lm：中部食道 medium まで認められる静脈瘤
Li：下部食道 inferior にのみ限局した静脈瘤</td><td>Lg-c：噴門部に限局する静脈瘤
Lg-cf：噴門部から穹窿部に連なる静脈瘤
Lg-f：穹窿部に限局する静脈瘤
（注）胃体部にみられる静脈瘤は Lg-b，幽門前庭部にみられる静脈瘤は Lg-a と記載する．</td></tr>
<tr><td>形態
form［F］</td><td>F0：治療後に静脈瘤が認められなくなったもの（治療後の記載所見）
F1：直線的で比較的細い静脈瘤
F2：連珠状の中等度の静脈瘤
F3：結節状あるいは腫瘤状の太い静脈瘤（注）治療後の経過中に red vein，blue vein が認められても静脈瘤の形態を成していないものは F0 とする．</td><td>食道静脈瘤の記載法に準じる．</td></tr>
<tr><td rowspan="2">色調
color［C］</td><td>Cw：白色静脈瘤 white varices
Cb：青色静脈瘤 blue varices</td><td>食道静脈瘤の記載法に準じる．</td></tr>
<tr><td colspan="2">（注）i）静脈瘤内圧が高まって緊満した場合は青色静脈瘤が紫色・赤紫色になることがあり，その時は violet（v）を付記して Cbv と記載してもよい．
ii）血栓化された静脈瘤は，Cw-Th（white cord ともいう），Cb-Th（bronze varices ともいう）と付記する．</td></tr>
<tr><td rowspan="2">発赤所見
red color sign
［RC］</td><td colspan="2">発赤所見には，ミミズ腫れ red wale marking［RWM］，チェリーレッドスポット cherry red spot［CRS］，血マメ hematocystic spot［HCS］の 3 つがある．</td></tr>
<tr><td>RC0：発赤所見がまったく認められないもの
RC1：限局性に少数認められるもの
RC2：RC1 と RC3 の間
RC3：全周性に多数認められるもの
（注）i）telangiectasia がある場合は Te を付記する．
ii）RC 所見の内容（RWM，CRS，HCS）は，RC の後に（　）をつけて付記する．
iii）F0 であっても発赤所見が認められるものは，RC1 ～ 3 で表現する．</td><td>RC0：発赤所見がまったく認められないもの
RC1：RWM，CRS，HCS のいずれかが認められるもの
（注）胃静脈瘤では RC の程度分類を行わない．</td></tr>
<tr><td>出血所見
bleeding sign
［BS］</td><td>a）出血中の所見
湧出性出血 gushing bleeding：破裂部より大きく湧き出るような出血
噴出性出血 spurting bleeding：破裂部が小さく jet 様の出血
滲出性 oozing bleeding：滲み出る出血
b）止血後，間もない時期の所見
赤色栓 red plug：出血から 24 時間以内の所見
白色栓 white plug：出血から 2 ～ 4 日後の所見</td><td>食道静脈瘤の記載法に準じる．
（注）血栓付着のない破裂部もある．</td></tr>
<tr><td>粘膜所見
mucosal finding
［MF］</td><td>びらん erosion［E］：認めれば E を付記する
潰瘍 ulcer［Ul］：認めれば Ul を付記する
瘢痕 scar［S］：認めれば S を付記する</td><td>食道静脈瘤の記載法に準じる．</td></tr>
</table>

食道静脈瘤および胃静脈瘤の所見は記載項目 L，F，C，RC，BS，MF の順に記載する．
〔日本門脈圧亢進症学会（編）：門脈圧亢進症取扱い規約．第 4 版，金原出版，2022 より引用・改変〕

食道静脈瘤（つづき）
孤立性静脈拡張[14] solitary venous dilatation
下行性静脈瘤[15] downhill varices
壁外性圧迫 extrinsic compression〔→ 1. 壁および内腔（食道）参照〕

7. 平坦粘膜病変および血管像 flat mucosal lesion and vascular pattern

血管像 vascular pattern
正常血管像 normal vascular pattern
樹枝状血管 dendritic vessel
柵状血管像（すだれ様所見）[16] palisade vessels
上皮乳頭内毛細血管ループ[17] intra-epithelial papillary capillary loop（IPCL）
血管拡張 angioectasia, teleangiectasia
異所性胃粘膜[18] ectopic gastric mucosa

8. 陥凹性病変 excavated lesion, depressed lesion

潰瘍性病変 ulceration
食道炎[19] esophagitis
逆流性食道炎[20] reflux esophagitis
軽症 mild
重症 severe

Ⅰ．食道

・孤立性静脈拡張

14）食道の上・中部に認められる孤在性の青色小隆起で，限局性に拡張した粘膜下静脈のほかに食道腺の貯留嚢胞などがある．門脈圧亢進症との関連は否定的である．

・下行性静脈瘤

15）上大静脈症候群で，上部から中部食道にかけてみられる静脈瘤．

・柵状血管像（すだれ様所見）

16）食道入口部，および食道下端にみられる縦走する表在血管像．

・上皮乳頭内毛細血管ループ

17）拡大内視鏡で観察される扁平上皮乳頭内の毛細血管．上皮性状の変化に対応して変化する．

・異所性胃粘膜

18）主として食道入口部にみられる島状の円柱上皮の部分．

・食道炎

19）食道炎には，逆流性食道炎のほかに好酸球性食道炎，カンジダ食道炎 Candida esophagitis（moniliasis），腐蝕性食道炎 caustic（corrosive）esophagitis，薬剤性食道炎 drug-induced esophagitis，肉芽腫性食道炎 granulomatous esophagitis（Crohn's disease），ヘルペス性食道炎 herpetic esophagitis などがある．

・逆流性食道炎

20）逆流性食道炎の分類，**図 11** を参照．
軽症逆流性食道炎 mild reflux esophagitis および重症逆流性食道炎 severe reflux esophagitis が使用されており，一般的にロサンゼルス（LA）分類 Grade A と B が軽症，Grade C と D が重症とされている．

Grade N	Grade M	Grade A	Grade B	Grade C	Grade D
胃	胃	胃	胃	胃	胃
内視鏡的に変化を認めないもの	色調変化型（粘膜傷害は認めないが下部食道の色調変化を認めるもの）	長径が5mmを超えない粘膜傷害で，粘膜襞に限局しているもの	少なくとも1カ所の粘膜傷害の長径が5mm以上で他の粘膜傷害と連続しないもの	全周の75%未満の連続した粘膜傷害を認める	全周の75%以上の粘膜傷害

図 11　改訂ロサンゼルス（LA）分類

〔草野元康（編）：GERD ＋ NERD 診療 Q ＆ A．日本医事新報社，2011；星原芳雄：GERD の診断—内視鏡診断と分類．臨消内科 11：1563-1568，1996 より引用〕

註）粘膜傷害 mucosal break とは，“より正常に見える周囲粘膜と明確に区分される白苔ないし発赤を有する領域”．

欧米では，色調変化型は minimal change と呼ばれている．

潰瘍性病変（つづき）	
Barrett 上皮[21]	Barrett's epithelium
Barrett 食道[22]	Barrett's esophagus
LSBE[23]	long segment Barrett's esophagus
SSBE	short segment Barrett's esophagus
Barrett 潰瘍[24]	Barrett's ulcer
食道・胃裂傷	esophagogastric tear
Mallory-Weiss 症候群	Mallory-Weiss syndrome
粘膜剝離[25]	mucosal abrasion
9. 術後の状態	**postoperative state**
食道胃吻合（術）	esophagogastrostomy
食道空腸吻合（術）	esophagojejunostomy
食道結腸吻合（術）	esophagocolostomy

Ⅱ．胃　stomach

1. 壁および内腔	**wall and lumen**
噴門狭窄	cardiac stenosis, stricture
幽門狭窄	pyloric stenosis, stricture
肥厚性幽門狭窄症	hypertrophic pyloric stenosis
偽幽門	pseudopylorus
重複幽門	double pylorus
胃軸捻転	gastric volvulus
小彎短縮	shortening of the lesser curvature
胃憩室	gastric diverticulum
その他（→総論参照）	
2. 内容物	**contents**
胃石[1]	gastric bezoar, bezoar of the stomach
食物残渣	food residue
その他（→総論参照）	
3. 粘膜	**mucosa**
発赤	erythema, redness, hyperemia
稜線状発赤	red streak
点状発赤	spotty redness
斑状発赤	patchy reddening
地図状発赤	map-like redness

Ⅰ．食道

・Barrett 上皮

21）柵状血管の下端を越えて上昇している円柱上皮．

・Barrett 食道

22）Barrett 上皮で覆われた食道．プラハ分類：esophagogastric junction（EGJ）は胃の縦走ひだの口側終末部と定義し，EGJ より連続して伸びる円柱上皮のうち全周性の部分を“C”（circumferential extent）とし，舌状に伸びる部分の最大長を“M”（maximum extent）とし，それぞれを記載するように決められている．またＣとＭの長さを測定する際には，内視鏡のシャフトに刻まれたスケールをバイトブロック上で計測することが推奨されている．

・LSBE

23）下部食道の円柱上皮部が，全周に及んで存在して，その長さが 3cm 以上のものを LSBE と呼び，それ未満のものを SSBE と呼ぶことが多い．

・Barrett 潰瘍

24）Barrett 上皮部に発生する潰瘍．

・粘膜剝離

25）内視鏡的に粘膜剝離として認められるものに，粘膜上皮層のみの剝離と粘膜下層の解離 submucosal dissection を示すものがある．

Ⅱ．胃

・胃石

1）食物や嚥下物が胃内で塊状・結石状になったものを胃石という．植物胃石 phytobezoar，柿胃石 diospyrobezoar，果実胃石 opobezoar，毛髪胃石 trichobezoar，粘液胃石 mucobezoar，線維胃石 iniobezoar などがある．

3. 粘膜（つづき）	
拡大内視鏡所見[2)]	magnifying endoscopy findings
微小血管構築像[2)]	microvascular（MV）pattern
表面微細構造[2)]	microsurface（MS）pattern
demarcation line（DL）[2)]	demarcation line（DL）
その他（→総論参照）	
4. ひだ	**fold, ruga**
その他（→総論参照）	
5. 出血	**hemorrhage, bleeding**
Mallory-Weiss 症候群	Mallory-Weiss syndrome（Mallory-Weiss tear）
その他（→総論参照）	
6. ポリープ，腫瘍性病変	**polyp, tumor**
胃ポリープ[3)]	gastric polyp
胃底腺ポリープ	fundic gland polyp
過形成性ポリープ	hyperplastic polyp
胃腺腫	gastric adenoma
胃癌[4)]	gastric cancer, carcinoma of the stomach

Ⅱ．胃

・拡大内視鏡所見 / 微小血管構築像 / 表面微細構造 /demarcation line（DL）

2）日本消化管学会，日本消化器内視鏡学会，日本胃癌学会，世界内視鏡学会は，拡大内視鏡 magnifying endoscopy を用い，demarcation line（DL），irregular microvascular（MV）pattern，irregular microsurface（MS）pattern を評価する早期胃癌診断アルゴリズム magnifying endoscopy simple diagnostic algorithm for early gastric cancer（MESDA-G）を提唱している（Dig Endosc. 28：379-393, 2016）.

demarcation line は，元来，境界線，分画線，分界線の意味であるが，拡大内視鏡所見としては一般化している用語であるため，日本語訳を用いず，demarcation line（DL）と記載した。

・胃ポリープ

3）“胃内腔に突出した限局性の粘膜隆起で悪性でないもの”とする考え方が広く受け入れられている.

・胃癌

4）分類は「胃癌取扱い規約．第 15 版」（金原出版，2017）に準ずる（**表 5**）.

胃癌（つづき）	
早期胃癌[5)]	early gastric cancer
進行胃癌	advanced gastric cancer
硬癌，スキルス[6)]	scirrhus

表 5　胃癌の肉眼型分類（胃癌取扱い規約．第 15 版，Paris Classification による）

（1）基本分類			
0 型	表在型	Superficial type 0	Superficial protruding, flat/depressed, or excavated carcinomas
1 型	腫瘤型	Advanced type 1	Protruding carcinomas, attached on a wide base
2 型	潰瘍限局型	Advanced type 2	Ulcerated carcinomas with sharp and raised margins
3 型	潰瘍浸潤型	Advanced type 3	Ulcerated carcinoma without definite limits
4 型	びまん浸潤型	Advanced type 4	Non-ulcerated, diffusely infiltrating carcinoma
5 型	分類不能型	Advanced type 5	Unclassifiable advanced carcinoma
（2）0 型（表在型）の亜分類			
Neoplastic lesions with “superficial” morphology			
0―Ⅰ型	隆起型	0―Ⅰp	Pedunculated
		0―Ⅰs	Sessile
0―Ⅱ型	表面型		Non-protruding and non-excavated
0―Ⅱa 型	表面隆起型	0―Ⅱa	Slightly elevated
0―Ⅱb 型	表面平坦型	0―Ⅱb	Flat
0―Ⅱc 型	表面陥凹型	0―Ⅱc	Slightly depressed
		0―Ⅱc＋Ⅱa	Elevated and depressed type
		0―Ⅱa＋Ⅱc	Elevated and depressed type
0―Ⅲ型	陥凹型	0―Ⅲ	Ulcer
		0―Ⅱc＋Ⅲ	Excavated and depressed type
		0―Ⅲ＋Ⅱc	Excavated and depressed type

A neoplastic lesion is called “superficial” when its endoscopic appearance suggests that the depth of penetration in the digestive wall is not more than into submucosa, i.e., there is no infiltration of the muscularis propria.〔日本胃癌学会（編）：胃癌取扱い規約．第 15 版，金原出版，2017；The Paris endoscopic classification of superficial neoplastic lesions：esophagus, stomach, and colon：November 30 to December 1, 2002. Gastrointest Endosc 58（6 Suppl）：S3-S43，2003 より引用・改変〕

上の表 5 の右側には参考のためにいわゆる Paris Classification（パリ分類）を並べて示した．表在型と異なり，表面型という概念が理解しにくいことを如実に示している．

Ⅱ．胃

・早期胃癌

5）リンパ節転移の有無に関係なく，癌の浸潤が粘膜または粘膜下層までにとどまるものを早期胃癌と定義する．

・硬癌，スキルス

6）結合織増生の強い癌である．このため触って硬く，肉眼的には胃が収縮する．びまん浸潤型癌のほとんどが硬癌である．

6. ポリープ，腫瘍性病変（つづき）

粘膜下腫瘍[7]	submucosal tumor
消化管間質腫瘍	gastrointestinal stromal tumor (GIST)
平滑筋腫	leiomyoma
悪性リンパ腫	malignant lymphoma
MALT リンパ腫	mucosa-associated lymphoid tissue lymphoma
びまん性大細胞型 B 細胞性リンパ腫	diffuse large B-cell lymphoma
その他（→総論参照）	

7. 炎症性病変　　inflammatory lesion

急性胃炎	acute gastritis
出血性胃炎	hemorrhagic gastritis
出血性びらん性胃炎	hemorrhagic erosive gastritis
急性胃粘膜病変[8]	acute gastric mucosal lesion
慢性胃炎	chronic gastritis
萎縮性胃炎	atrophic gastritis
自己免疫性胃炎	autoimmune gastritis
肥厚性胃炎[9]	hypertrophic gastritis
化生性胃炎	metaplastic gastritis
びらん性胃炎	erosive gastritis
疣状胃炎[10]	verrucous gastritis
鳥肌胃炎[11]	nodular gastritis
胃粘膜萎縮	gastric mucosal atrophy
腸上皮化生	intestinal metaplasia
黄色腫	xanthoma
胃潰瘍[12]	gastric ulcer
Dieulafoy 病変（Dieulafoy 潰瘍）[13]	Dieulafoy lesion

Ⅱ．胃

・粘膜下腫瘍

7）粘膜より深部に存在する壁内病変により粘膜が挙上されて生じた隆起の総称．SEL：subepithelial lesion とも称される．良性としては平滑筋腫 leiomyoma，線維腫 fibroma，脂肪腫 lipoma，神経性腫瘍 neurogenic tumor，血管腫 hemangioma，リンパ管腫 lymphangioma，嚢腫 cyst，迷入膵 aberrant pancreas，寄生虫性肉芽腫 parasitic granuloma，炎症性線維性ポリープ inflammatory fibroid polyp など，悪性として GIST gastrointestinal stromal tumor，カルチノイド carcinoid〔神経内分泌腫瘍 neuroendocrine tumor（NET）〕，転移性癌 metastatic cancer など多種の腫瘤が含まれる（総論Ⅰ．消化管の註 50 を参照）．

・急性胃粘膜病変

8）薬剤，ストレスその他の原因でひき起こされた胃粘膜の急性炎症性病変（出血，びらん，潰瘍）を一括し，さらにこれに突発的な強い自覚症状（顕出血，上腹部痛など）を加味させた疾患概念である．粘膜だけの病変ではなく，急性胃病変というべきだという議論がある．

・肥厚性胃炎

9）Schindler が肥厚性胃炎とした内視鏡像（胃小区に一致した石畳状を示す柔らかい粘膜の盛り上がり）は，現在，粘膜筋板の緊張などによる機能的な変化が表現されたものと考えられている．胃固有腺や腺窩上皮の肥大ないし過形成により胃粘膜の肥厚を示すものに巨大皺襞症がある．

・疣状胃炎

10）隆起の頂上に臍のようなびらんを形成する隆起性びらんは，タコの吸盤に似ていると思われたところから“たこいぼびらん”の俗称がある．浮腫と細胞浸潤のために隆起したものと，びらんの後の粘膜欠損に対する代償的な上皮の過形成によって隆起するものとがあり，後者を疣状胃炎と呼んでいる．

・鳥肌胃炎

11）均一な小顆粒状隆起が密集してみられるもので，胃角部から前庭部に認められることが多い．*H. pylori* 感染のある若年女性に多くみられることが報告されており，とくに未分化型胃癌の発生母地として注目されている．

・胃潰瘍

12）種々の潰瘍がある．経過によって急性潰瘍 acute ulcer・慢性潰瘍 chronic ulcer，数によって単発潰瘍 single ulcer・多発潰瘍 multiple ulcers，形態によって線状潰瘍 linear ulcer・接吻潰瘍 kissing ulcers・対称性潰瘍 symmetrically-located ulcers・ざんごう潰瘍 trench ulcer，原因によってステロイド潰瘍 steroid ulcer・ストレス潰瘍 stress ulcer・Cushing's ulcer（脳疾患による消化性潰瘍）・Curling's ulcer（熱傷に伴う潰瘍）などの名称がつけられている（**図 12**）．

・Dieulafoy 病変（Dieulafoy 潰瘍）

13）粘膜下層の浅層に達した大型動脈が浅い小潰瘍により破綻し，急激な出血をきたす疾患である．

7. 炎症性病変（つづき）

その他（→総論参照）

8. 血管性病変　**vascular lesion**

胃前庭部毛細血管拡張症[14]	gastric antral vascular ectasia（GAVE）
びまん性胃前庭部毛細血管拡張[14]	diffuse gastric antral vascular ectasia（DAVE）
胃静脈瘤	gastric varices
門脈圧亢進性胃症	portal hypertensive gastropathy（PHG）
その他（→総論参照）	

9. 術後の状態　**postoperative state**

術後胃	postoperative stomach
残胃	remnant stomach
縫合線	suture line
ビルロートⅠ法再建	Billroth Ⅰ reconstruction
ビルロートⅡ法再建	Billroth Ⅱ reconstruction
ルーワイ法再建	Roux-en-Y reconstruction
胃十二指腸吻合	gastroduodenostomy
胃空腸吻合	gastrojejunostomy
吻合部ポリープ状肥厚性胃炎	stomal polypoid hypertrophic gastritis, gastritis cystica polyposa
吻合部潰瘍[15]	stomal ulcer, marginal ulcer

Ⅲ．小腸　small intestine

1. 壁および内腔　**wall and lumen**

内腔の拡大	increased caliber of the lumen
内腔の拡張	dilated lumen
内腔の縮小	decreased caliber of the lumen
狭小化	narrowing
可逆性（機能的）	reversible（functional）
不可逆性（器質的）	irreversible（organic）
狭窄	stenosis, stricture
単純性	simple
潰瘍性	ulcerated
腫瘤性	tumorous
術後	postoperative

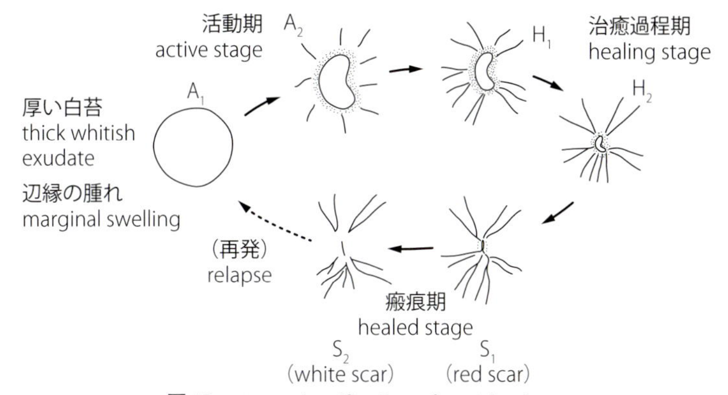

図 12　stage classification of gastric ulcer

〔崎田隆夫，三輪 剛：悪性潰瘍の内視鏡診断―早期診断のために．日消誌 67：984-989，1970 より改変〕

Ⅱ．胃

・胃前庭部毛細血管拡張症 / びまん性胃前庭部毛細血管拡張

14）肝硬変や慢性腎不全などの全身性疾患を背景に胃前庭部にびまん性の毛細血管を生じることがあり，消化管出血の原因となることが知られている．

・吻合部潰瘍

15）吻合部潰瘍は胃の潰瘍ではなく，吻合部小腸側の潰瘍である．

狭窄（つづき）

輪状	annular, circular
対称性，求心性	symmetric (al), concentric
非対称性，偏心性	asymmetric (al), eccentric
膜様	membranous
内的な	intrinsic
外的な	extrinsic
閉塞	occlusion, obstruction
膜	membrane
腸間膜動脈性十二指腸閉塞	arteriomesenteric occlusion of the duodenum
変形	deformity
球部変形	deformity of the bulb
陵形成	ridge formation (of the duodenal bulb)
壁の異常開口部	abnormal opening of the wall
十二指腸憩室	duodenal diverticulum
傍乳頭憩室	parapapillary diverticulum
管腔内憩室	intraluminal diverticulum
小腸憩室	diverticulum of the small intestine
メッケル憩室	Meckel's diverticulum
憩室炎	diverticulitis
十二指腸瘻[1]	duodenal fistula
空腸瘻	jejunal fistula
回腸瘻	ileal fistula
穿孔	perforation
輪状ひだ，Kerckring ひだ	circular folds, Kerckring's folds

2. 内容物　**content**（→総論参照）

3. 粘膜　**mucosa**（→総論参照）

絨毛	villi
リンパ濾胞	lymphoid follicle
パイエル板[2]	Peyer's patch

4. ひだ　**fold**（→総論参照）

5. 出血　**hemorrhage**（→総論参照）

6. 隆起　**protrusion**

隆起性病変	protruding lesion, elevated lesion

Ⅲ．小腸

・十二指腸瘻

1）十二指腸瘻には総胆管十二指腸瘻 choledochoduodenal fistula，十二指腸結腸瘻 duodenocolic fistula など種々の瘻がある．

・パイエル板

2）回腸に存在する孤立リンパ小節が集簇したリンパ装置である．腸間膜付着部対側に腸管の長軸方向に沿って卵円形構造として認めることが多い．

隆起性病変（つづき）	
ポリープ	polyp
過形成性ポリープ	hyperplastic polyp
腺腫	adenoma
過誤腫	hamartoma
若年性ポリープ	juvenile polyp
炎症性ポリープ	inflammatory polyp
炎症性線維性ポリープ	inflammatory fibroid polyp
多発ポリープ	multiple polyps
ポリポーシス[3]	polyposis
家族性大腸ポリポーシス	familial polyposis coli, familial adenomatous polyposis
Peutz-Jeghers 症候群	Peutz-Jeghers syndrome
Cronkhite-Canada 症候群	Cronkhite-Canada syndrome
炎症性ポリポーシス[4]	inflammatory polyposis
リンパ濾胞過形成	lymphoid hyperplasia, lymph follicle hyperplasia
Brunner 腺過形成	hyperplasia of Brunner's gland
腫瘍，腫瘤	tumor, mass
粘膜下腫瘍[5]	submucosal tumor
GIST	GIST（→Ⅱ．胃，6．ポリープ，腫瘍性病変，消化管間質腫瘍の項参照）
リンパ管腫	lymphangioma
癌腫	carcinoma（→総論Ⅰ．消化管，註 51 参照）
脂肪腫	lipoma
悪性リンパ腫	malignant lymphoma（→総論参照）
MALT リンパ腫	MALT lymphoma
乳頭部腫瘍[6]	tumor of the duodenal papilla, ampullary tumor
乳頭部癌[7]	carcinoma of the papilla
小腸癌	carcinoma of the small intestine
十二指腸癌	carcinoma of the duodenum
空腸癌	carcinoma of the jejunum
回腸癌	carcinoma of the ileum

Ⅲ．小腸

・ポリポーシス

3）家族性ポリポーシスなどの消化管全体にみられるポリポーシスの部分症状として十二指腸を含む小腸にもみられる．

・炎症性ポリポーシス

4）炎症性ポリポーシス inflammatory polyposis には，真のポリポーシス polyposis と偽ポリポーシス pseudopolyposis とが含まれる．

・粘膜下腫瘍

5）十二指腸を含む小腸には筋腫，神経性腫瘍，肉芽腫，嚢腫などの粘膜下腫瘍がある．

・乳頭部腫瘍

6）十二指腸乳頭には主乳頭（大乳頭）と副乳頭（小乳頭）があり，どちらにも腫瘍が発生する．

・乳頭部癌

7）「臨床・病理 胆道癌取扱い規約．第7版」（金原出版，2021）参照．

腫瘍，腫瘤（つづき）	
血管性隆起	vascular protrusion（→総論Ⅰ．消化管，6．隆起の項参照）
静脈瘤	varices
嚢胞状気腫	pneumatosis cystoides intestinalis
7．平坦病変	**flat lesion**
アフタ[8)]	aphtha
白点，白斑[9)]	white spot
白色絨毛	white villi
十二指腸炎[10)]	duodenitis
急性	acute
慢性	chronic
萎縮性	atrophic
十二指腸乳頭炎	duodenal papillitis
空腸炎	jejunitis
回腸炎	ileitis
回腸嚢炎	(ileal) pouchitis
Dieulafoy 病変	Dieulafoy's lesion
血管拡張症	angioectasia, angiectasia（→総論Ⅰ．消化管，7．平坦粘膜病変および血管像の項参照）
リンパ管拡張症	lymphangiectasia
潰瘍瘢痕	ulcer scar
腺腫	adenoma
小腸癌	carcinoma of the small intestine
十二指腸癌	carcinoma of the duodenum
空腸癌	carcinoma of the jejunum
回腸癌	carcinoma of the ileum
8．陥凹性病変	**excavated lesion, depressed lesion**
びらん	erosion
しもふり[11)]	"shimofuri"
潰瘍	ulcer
十二指腸潰瘍[12)]	duodenal ulcer
アフタ様潰瘍	aphthous (*or* aphthoid) ulcer
縦走潰瘍（瘢痕）	longitudinal ulcer (scar)

Ⅲ．小腸

・アフタ

8）黄ないし白色斑でしばしば紅暈を伴う炎症性変化.

・白点，白斑

9）小腸および十二指腸粘膜には，時にびまん性で散布性白点（白斑）がみられることがある．これは腸粘膜から吸収された脂肪の転送異常時に，小腸や十二指腸の絨毛やリンパ管が白濁して見えるものをいう.

・十二指腸炎

10）びらん性 erosive，出血性 hemorrhagic，顆粒形成性 granular などがある.

・しもふり

11）潰瘍の治癒過程およびびらんの一状態として，しもふり状の粘膜がみられることがあり，この状態の修飾語として“しもふり潰瘍”や“しもふり状びらん”などのように使用される.

・十二指腸潰瘍

12）性状などについてはⅡ．胃，7．炎症性病変，胃潰瘍の項参照.

潰瘍（つづき）	
輪状潰瘍（瘢痕）	annular ulcer（scar), circular ulcer（scar）
斜走潰瘍（瘢痕）	oblique ulcer（scar）
地図状潰瘍	geographic ulcer
打ち抜き（様）潰瘍	punched-out ulcer
スキップ病変	skip lesion
小腸 Crohn 病	Crohn's disease of the small intestine
腺腫	adenoma
小腸癌	carcinoma of the small intestine
9. 血管性病変	**vascular lesion（表6）**
Dieulafoy 病変	Dieulafoy's lesion
血管拡張症	angioectasia, angiectasia（→総論 I．消化管，7．平坦粘膜病変および血管像の項参照）
10. 術後の状態	**postoperative state**
吻合口	anastomotic stoma
鞍部	anastomotic crest
吻合部縁	edge of the stoma
輸入脚	afferent loop
輸出脚	efferent loop
盲係蹄	blind loop
盲嚢	blind pouch
自己充満型盲嚢	self-filling blind pouch
自己排出型盲嚢	self-emptying blind pouch
潰瘍	ulcer
吻合部潰瘍[13]	stomal ulcer, marginal ulcer
吻合部肉芽腫	suture granuloma
人工肛門	ileostoma, jejunostoma
空腸瘻	jejunostomy
回腸瘻	ileostomy
回腸嚢	ileal pouch

表 6　小腸血管性病変の内視鏡分類（矢野・山本分類）

Type 1a	点状（1mm 未満）発赤で，出血していないか oozing するもの
Type 1b	斑状（数 mm）発赤で，出血していないか oozing するもの
Type 2a	点状（1mm 未満）で，拍動性出血するもの
Type 2b	拍動を伴う赤い隆起で，周囲に静脈拡張を伴わないもの
Type 3	拍動を伴う赤い隆起で，周囲に静脈拡張を伴うもの
Type 4	上記に分類されないもの

〔Yano T, Yamamoto H, Sunada K, et al：Endoscopic classification of vascular lesions of the small intestine（with videos）. Gastrointest Endosc 67：169-172, 2008 より引用・和訳〕

・吻合部潰瘍

13）吻合部近傍の小腸粘膜に発生した消化性潰瘍をいう．縫合線潰瘍 suture line ulcer とは区別して扱う．

Ⅳ．大腸　large intestine

1．壁および内腔　wall and lumen

内腔の拡大	increased caliber of the lumen
内腔の拡張	dilated lumen
巨大結腸	megacolon
Hirschsprung 病	Hirschsprung's disease
内腔の縮小	decreased caliber of the lumen
狭小化	narrowing
可逆性（機能的）	reversible（functional）
不可逆性（器質的）	irreversible（organic）
狭窄	stenosis, stricture
単純性	simple
潰瘍性	ulcerated
腫瘤性	tumorous
術後	postoperative
輪状	annular, circular
対称性，求心性	symmetric (al), concentric
非対称性，偏心性	asymmetric (al), eccentric
内的な	intrinsic
外的な	extrinsic
膜様	membranous
閉塞	occlusion, obstruction
捻転	volvulus
脱	prolapse
直腸脱	rectal prolapse
脱肛	anal prolapse, prolapsus ani
粘膜脱症候群	mucosal prolapse syndrome
壁の異常開口部	abnormal opening of the wall
結腸憩室	diverticulum of the colon
翻転憩室	inverted diverticulum
憩室炎	diverticulitis
結腸瘻	colonic fistula
痔瘻	anal fistula
穿孔	perforation
ハウストラ膨起[1]	haustrations

Ⅳ．大腸

・ハウストラ膨起

1）半月ひだと半月ひだとの間に存在する外側へ膨出した腸壁のことである．

2. 内容物	**content**（→総論参照）
3. 粘膜	**mucosa**（→総論参照）
無名溝	innominate grooves
腺管開口部[2)]	pit
血管所見	vessel pattern
表面模様	surface pattern
4. ひだ	**fold**（→総論参照）
5. 出血	**hemorrhage, bleeding**
血便[3)]	hematochezia
メレナ，下血	melena
タール便	tarry stool
肛門出血	anal bleeding
6. 腫瘍性病変	**tumorous lesion**
隆起性病変	protruding lesion
平坦型病変	flat lesion
陥凹型病変	excavated lesion, depressed lesion
ポリープ	polyp
過形成性ポリープ	hyperplastic polyp

Ⅳ．大腸

・腺管開口部

2）pit pattern の分類に関しては，工藤・鶴田分類が広く用いられている（**図 13**）．

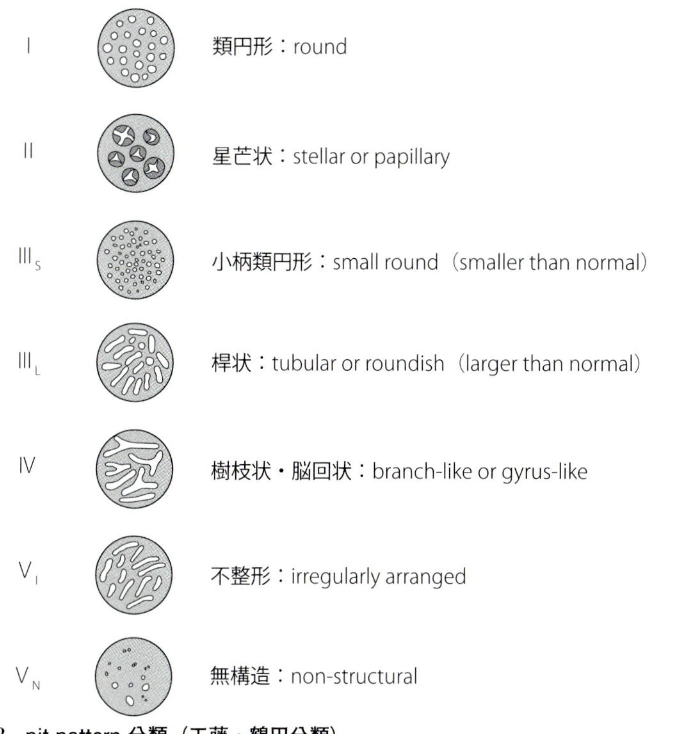

図 13　pit pattern 分類（工藤・鶴田分類）

〔Tanaka S, Kaltenbach T, Chayama K, et al：High-magnification colonoscopy (with videos). Gastrointest Endosc 64：604-613, 2006 より引用・一部改変〕

・血便

3）血液の混じた赤い便を血便，血液の混じた粘稠な黒い便をメレナあるいは下血として使い分けるのが正しい．しかし血便と下血を総称する用語がないので，我が国では血便あるいは下血をこの意味で用いることが少なくない．このため混乱があるが，英語では hematochezia と melena は明確に使い分けされている．また肛門から血液が排出されたり，あるいは便の表面に血液が付着しているような場合，これを血便とするには抵抗がある場合には，血便に替えて肛門出血という語が用いられている．タール便は下血のうち外観がコールタール状の場合にのみ用いられる．

ポリープ（つづき）	
鋸歯状腺腫[4]	traditional serrated adenoma
SSL[5]	sessile serrated lesion
腺腫	adenoma
管状腺腫	tubular adenoma
管状絨毛腺腫	tubulovillous adenoma
絨毛腺腫	villous adenoma
若年性ポリープ	juvenile polyp
炎症性ポリープ	inflammatory polyp
過誤腫性ポリープ	hamartomatous polyp
肛門ポリープ	anal polyp
炎症性線維性ポリープ	inflammatory fibroid polyp
良性リンパ濾胞性ポリープ	benign lymphoid polyp
CMSEP	colonic mucosubmucosal elongated polyp
進行腺腫[6]	advanced adenoma

Ⅳ．大腸

・鋸歯状腺腫

4）以前 serrated adenoma と呼ばれていた病変は sessile serrate lesion（SSL）の概念が提唱されて以降，SSL と区別するため traditional serrated adenoma（TSA）と呼ばれている．

・SSL

5）2019 年の WHO 分類で sessile serrated adenoma/polyp (SSA/P) は sessile serrated lesion（SSL) と名称が変更され、従来過形成性ポリープと分類されていたものでも腺底部の特徴的な拡張腺管が 1 つでもあれば SSL と呼ばれることとなった (**表 7**)。

表 7　大腸鋸歯状病変の WHO 分類第 5 版（2019 年）

hyperplastic polyp（HP）
goblet cell-rich hyperplastic polyp（GCHP）
microvesicular hyperplastic polyp（MVHP）
sessile serrated lesion（SSL）
SSL with dysplasia（SSLD）
traditional serrated adenoma（TSA）
unclassified serrated adenoma

〔WHO classification of Tumours, Digestive System Tumours, 5th ed. より作成〕

・進行腺腫

6）近い将来浸潤癌になりうる病変として提唱されている概念で，定義は文献により多少異なる．径 10mm 以上の腺腫，病理組織学的に絨毛構造を 25% 以上有するもの，high-grade dysplasia（我が国の粘膜内癌にほぼ相当）が含まれていることが多い．advanced adenoma に浸潤癌を加えた advanced neoplasia という語が用いられることがある．

陥凹型病変（つづき）

多発ポリープ	multiple polyps
ポリポーシス	polyposis
家族性大腸ポリポーシス，家族性大腸腺腫症	familial polyposis coli, familial adenomatous polyposis
若年性ポリポーシス	juvenile polyposis
Peutz-Jeghers 症候群	Peutz-Jeghers syndrome
Cronkhite-Canada 症候群	Cronkhite-Canada syndrome
炎症性ポリポーシス[7]	inflammatory polyposis
鋸歯状ポリポーシス症候群	serrated polyposis syndrome
絨毛状腫瘍	villous tumor
大腸癌[8]	colorectal cancer
結腸癌	colonic cancer
直腸癌	rectal cancer
大腸炎関連癌	colitic cancer
側方発育型腫瘍	laterally spreading tumor（LST）（**図 14，表 10**）
顆粒型	granular type（LST-G）
顆粒均一型	homogeneous type
結節混在型	nodular mixed type
非顆粒型	non-granular type（LST-NG）
平坦型	elevated type
偽陥凹型	pseudodepressed type
粘膜下腫瘍	submucosal tumor
消化管間葉系腫瘍	gastrointestinal stromal tumor
平滑筋腫	leiomyoma
脂肪腫	lipoma
悪性リンパ腫	malignant lymphoma
B 細胞性リンパ腫	B-cell lymphoma
粘膜関連リンパ組織リンパ腫	MALT lymphoma
濾胞性リンパ腫	follicular lymphoma
マントル細胞リンパ腫	mantle cell lymphoma
びまん性大細胞型B 細胞性リンパ腫	diffuse large B-cell lymphoma

Ⅳ．大腸

・炎症性ポリポーシス

7）炎症性ポリポーシス inflammatory polyposis には，真のポリポーシス polyposis と偽ポリポーシス pseudopolyposis とが含まれる．

・大腸癌

8）大腸癌の肉眼分類 macroscopic classification of colorectal cancer については**表 8**，**表 9** を参照．

表 8　大腸癌の肉眼分類

0 型	表在型	superficial type
1 型	腫瘤型	protruded type
2 型	潰瘍限局型	well-defined ulcerative type
3 型	潰瘍浸潤型	ill-defined ulcerative type
4 型	びまん浸潤型	diffusely infiltrating type
5 型	分類不能	unclassifiable

〔大腸癌研究会（編）：大腸癌取扱い規約．第 9 版，金原出版，2018 より引用・一部改変〕

表 9　0 型の亜分類

Ⅰ型	隆起型	protruded type
Ⅰp 型	有茎型	pedunculated type
Ⅰsp 型	亜有茎型	semipedunculated type
Ⅰs 型	無茎型	sessile type
Ⅱ型	表面型	superficial type
Ⅱa 型	表面隆起型	superficial elevated type
Ⅱb 型	表面平坦型	superficial flat type
Ⅱc 型	表面陥凹型	superficial depressed type

〔大腸癌研究会（編）：大腸癌取扱い規約．第 9 版，金原出版，2018 より引用・一部改変〕

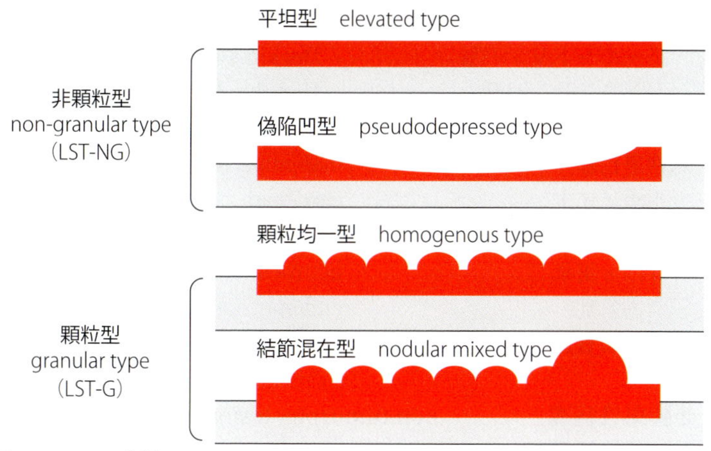

図 14 LST の分類

〔Kudo S, Lambert R, Allen JI, et al：Nonpolypoid neoplastic lesions of the colorectal mucosa. Gastrointest Endosc 68（4 Suppl）：S3-S47, 2008 より引用改変〕

表 10 JNET 大腸拡大 NBI 分類

	Type 1	Type 2A	Type 2B	Type 3
Vessel pattern	・認識不可※1	・口径整 ・均一な分布（網目・らせん状）※2	・口径不同 ・不均一な分布	・疎血管野領域 ・太い血管の途絶
Surface pattern	・規則的な黒色または白色点 ・周囲の正常粘膜と類似	・整（管状・樹枝状・乳頭状）	・不整または不明瞭	・無構造領域
予想組織型	過形成性ポリープ	腺腫〜低異型度癌（Tis）	高異型度癌（Tis/T1a）※3	高異型度癌（T1b 〜）

※1 認識可能な場合，周囲正常粘膜と同一径．
※2 陥凹型においては，微細血管が点状に分布されることが多く，整った網目・らせん状血管が観察されないこともある．
※3 T1b が含まれることもある．
〔佐野 寧，田中信治，工藤進英，他：The Japan NBI Expert Team（JNET）大腸拡大 Narrow Band Imaging（NBI）分類．Intestine 19：5-13，2015 より引用〕

悪性リンパ腫（つづき）

バーキットリンパ腫	Burkitt's lymphoma
ホジキンリンパ腫	Hodgkin lymphoma
T 細胞性リンパ腫	T-cell lymphoma
悪性黒色腫	malignant melanoma
カルチノイド	carcinoid
神経内分泌腫瘍[9]	neuroendocrine neoplasm
神経内分泌癌[9]	neuroendocrine carcinoma
子宮内膜症	endometriosis
海綿状血管腫	cavernous hemangioma
異形成	dysplasia

7. 非腫瘍性病変　non-tumorous lesion

リンパ濾胞過形成	lymphoid hyperplasia, lymph follicle hyperplasia
敷石状外観	cobblestone appearance
腸管囊腫状気腫症	pneumatosis coli, pneumatosis cystoides intestinalis
粘膜橋	mucosal bridge
粘膜垂，粘膜ひも[10]	mucosal tag
肛門皮膚垂	anal skin tag
翻転憩室	inverted diverticulum
静脈瘤	varices
内痔核	internal hemorrhoids
血管透見不良，不明瞭な血管像	indistinct vascular pattern
毛細血管拡張症[11]	telangiectasia
大腸メラノーシス[12]	melanosis coli
裂肛	anal fissure
びらん	erosion
潰瘍と瘢痕	ulcer and scar
孤立性潰瘍	solitary ulcer
アフタ様潰瘍	aphthous（*or* aphthoid）ulcer
縦走潰瘍	longitudinal ulcer
輪状潰瘍	annular ulcer, circular ulcer
打ち抜き（様）潰瘍	punched-out ulcer
スキップ病変	skip lesion

Ⅳ．大腸

・神経内分泌腫瘍／神経内分泌癌

9）2019年のWHO分類では神経内分泌腫瘍はneuroendocrine neoplasm（NEN）と総称され，その中でneuroendocrine tumor（NET；本邦の大腸がん取扱い規約第9版のカルチノイド腫瘍と同義）とneuroendocrine carcinoma（NEC；神経内分泌癌）が区別された．

・粘膜垂，粘膜ひも

10）mucosal tagは通常そのまま用いられ，日本語訳はほとんど使われていない．

・毛細血管拡張症

11）総論Ⅰ．消化管，註61参照．誤ってangiodysplasiaを用いるべきではない．

・大腸メラノーシス

12）メラノーシスとは，基底層のメラニン顆粒が著しく増加することにより，食道粘膜が黒色調を呈するものである．一方，偽メラノーシスとは，粘膜固有層内に黄褐色色素顆粒（リポフスチン）を満たしたマクロファージが出現することにより，大腸粘膜が褐色から黒色調を呈した状態で，センナ，大黄，アロエなどのアントラキノン系大腸刺激性下剤を長期間内服することにより生じる．このマクロファージは時に粘膜下層にもみられることがある．

7. 非腫瘍性病変（つづき）

炎症性腸疾患	inflammatory bowel disease
潰瘍性大腸炎[13]	ulcerative colitis
虚血性大腸炎	ischemic colitis
偽膜性大腸炎	pseudomembranous colitis
大腸クローン病	Crohn's disease of the large intestine
ベーチェット病	Behçet's disease
感染性腸炎	infectious colitis
急性出血性大腸炎	acute hemorrhagic colitis
アメーバ性大腸炎	amebic colitis
抗生物質関連大腸炎	antibiotic-associated colitis
NSAID 起因性大腸病変[14]	NSAID-induced colopathy
免疫チェックポイント阻害薬による腸炎	colitis associated with immune checkpoint inhibitors
キャンピロバクター腸炎	campylobacter enterocolitis
クラミジア直腸炎	chlamydial proctitis
エルシニア腸炎	yersinia enteritis
サイトメガロウイルス腸炎	cytomegalovirus enterocolitis
腸結核	intestinal tuberculosis
顕微鏡的大腸炎	microscopic colitis
コラーゲン大腸炎[15]	collagenous colitis
リンパ球性大腸炎	lymphocytic colitis
腸管 GVHD	Intestinal graft-versus-host disease
放射線直腸炎	radiation proctitis
cap polyposis	cap polyposis
腸間膜静脈硬化症	mesenteric phlebosclerosis
急性出血性直腸潰瘍	acute hemorrhagic rectal ulcer
大腸炎	colitis
直腸炎	proctitis

8. 術後の状態　postoperative state

吻合部	anastomotic site, anastomosis
空置結腸炎[16]	diversion colitis
人工肛門[17]	stoma
回腸囊	ileal pouch
回腸囊炎	pouchitis

Ⅳ．大腸

・潰瘍性大腸炎

13）潰瘍性大腸炎の内視鏡分類はMayo endoscopic subscore, Ulcerative colitis endoscopic index of severity（UCEIS）, Matts classification, Baron indexなど様々なものが用いられている．

・NSAID 起因性大腸病変

14）NSAID（non-steroidal anti-inflammatory drug）は，消化管病変を来す薬剤として知られている．可算名詞であるNSAIDは，単数の薬剤をさす名詞の場合にはNSAID，複数の薬剤をさす名詞の場合にはNSAIDsと表記されている．さらに，NSAIDによって引き起こされたというように形容詞として使われる場合は，単数名詞であるNSAIDを用いて，NSAID induced もしくは，NSAID-induced のように表記されている場合が多い．また，明らかに複数のNSAIDによって引き起こされているのが確定している場合には，NSAIDs induced と表記される場合もある．

・コラーゲン大腸炎

15）Microscopic colitisはcollagenous colitisとlymphocytic colitisの総称で，難治性の下痢を主症状とする原因不明の疾患である．内視鏡所見としては浮腫や毛細血管の増生，顆粒状変化など軽微な異常にとどまるが，病理学的には粘膜固有層の炎症細胞浸潤および上皮間リンパ球の増加がみられる．Collagenous colitisでは病理学的に粘膜上皮直下の厚い膠原線維束（10μm以上）がみられることが特徴で，内視鏡的には幅の狭い縦走潰瘍や粘膜の裂傷（“cat scratch sign”）がみられることがある．

・空置結腸炎

16）手術により便が通過しなくなった腸管に発症する大腸炎．

・人工肛門

17）人工肛門という語はドイツ語のKunstafter に由来すると思われ，英語にはこれに相当する語がない．腸管の部位によってcolostomy，ileostomy などが用いられる．

9. 質の指標	**quality indicator**
腺腫検出割合	adenoma detection rate
ポリープ検出割合	polyp detection rate
抜去時間	withdrawal time
回盲部到達率（時間）	cecal intubation rate（*or* time）
前処置	preparation
腸管洗浄度	bowel preparation quality
中間期癌[18]	interval cancer
内視鏡後発生大腸癌[18]	post-colonoscopy colorectal cancer
癒着	adhesion
大腸内視鏡反転	colonoscopic retroflexion

V．胆道[1]　biliary tract

1. 壁および内腔	**wall and lumen**
胆道造影像	cholangiogram
正常な	normal
異常（な）	abnormality（abnormal）
消失した	disappeared
造影されない	unopacified, non-visualized
陰影欠損	filling defect
胆道壁の異常	changes in wall of the biliary tract
平滑な	smooth
不整（な）	irregularity（irregular）
硬化した	sclerotic
浮腫状	edematous
肥厚した	thickening
両側性	bilateral
片側性	unilateral
対称性	symmetric（al）
非対称性	asymmetric（al）
胆囊炎[2]	cholecystitis
黄色肉芽腫性胆囊炎	xanthogranulomatous cholecystitis
壊疽性胆囊炎	gangrenous cholecystitis
アデノミオマトーシス（腺筋腫症）	adenomyomatosis

Ⅳ．大腸

・中間期癌 / 内視鏡後発生大腸癌

18)「中間期癌 interval cancer」は「前回の検診で癌を指摘されていないにもかかわらず，推奨される次の検診までに診断された癌」と定義される．また，検診のみならず日常診療のなかで「前回の大腸内視鏡で癌と診断されていないにもかかわらず，今回の検査で診断された大腸癌」をさす用語として「post-colonoscopy colorectal cancer（PCCRC）」が使われることがある．

Ⅴ．胆道

1）胆道鏡，胆道造影および超音波内視鏡に関連した用語を扱う．

・胆嚢炎

2）胆嚢炎には急性 acute と慢性 chronic がある．

1. 壁および内腔（つづき）

胆道内腔の異常	abnormality in lumen of the biliary tract
腫大（した）[3]	enlargement（enlarged）
拡張（した）	dilatation, distension（dilated, distended）
嚢胞性	cystic
小嚢性	saccular
紡錘形	spindle-shaped
円筒形	cylinder
数珠状	beaded
憩室様	diverticulum-like
狭窄（した）	stenosis（stenotic）, stricture
狭小化（した）	narrowing（narrow）
全周性	circular
帯状	band-like
環状	annular
閉塞（した）	obstruction（obstructed）, occlusion（occluded）
完全な	complete
不完全な	incomplete
先天性総胆管拡張症[4]	congenital choledochal cyst, congenital dilatation of the common bile duct
Caroli 病[5]	Caroli’s disease
原発性硬化性胆管炎[6]	primary sclerosing cholangitis

V．胆道

・腫大（した）

3）長さ，量，広がりの増加をいう．Courvoisier gallbladder は胆管癌などによる悪性狭窄があるときに，胆嚢が腫大，拡張した状態をいう．Courvoisier-Terrier syndrome は，そのときにみる胆嚢腫大，黄疸，灰白色便などの症候群をさす．Courvoisier's law とは，有黄疸患者で無痛性の腫大した胆嚢を触れる場合，胆道下部の悪性腫瘍による胆道閉塞を示唆すること，および閉塞が胆管結石による場合，無痛性の胆嚢の腫大は稀にしか起こらないことをいい，Courvoisier's sign と同じ．

・先天性総胆管拡張症

4）形態から cystic（嚢状），diverticular（憩室様），choledochoc（o）ele（総胆管嚢腫）の 3 型に分類される（Alonzo-Lej 分類）．東洋人女性に多く，膵胆管合流異常を伴うものが多い．また癌発生率も高い．

・Caroli 病

5）Caroli's disease は，肝内胆管が先天性に cystic dilatation を示し，beaded appearance を呈することを特徴とする．

・原発性硬化性胆管炎

6）primary sclerosing cholangitis の X 線学的特徴は diffuse narrowing of the biliary tract を示す部に diverticulum-like outpouching，band-like stricture が認められ，全体としては beaded appearance を呈する．原発性硬化性胆管炎との鑑別として，IgG4 関連硬化性胆管炎が挙げられる．それぞれの典型的な所見を**図 15** に示す．

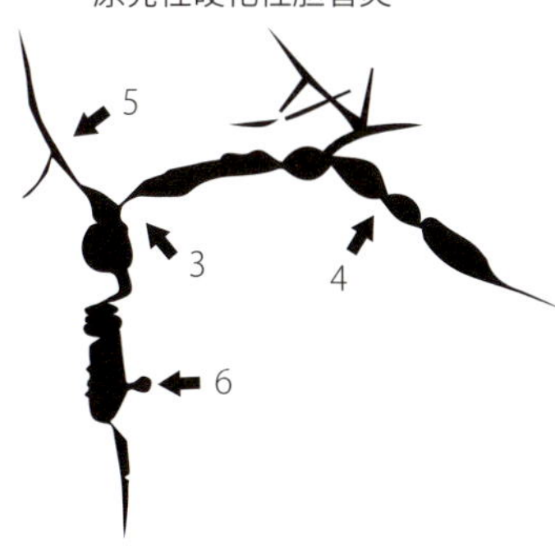

図 15　胆管像による IgG4 関連硬化性胆管炎と原発性硬化性胆管炎の比較

1. 比較的長い狭窄とその上流の単純拡張（dilation after confluent stricture）
2. 下部胆管の狭窄（stricture of lower common bile duct）
3. 帯状狭窄（band-like stricture）
4. 数珠状所見（beaded appearance）
5. 剪定状所見（pruned-tree appearance）
6. 憩室様突出（diverticulum-like outpouching）

〔厚生労働省 IgG4 関連全身硬化性疾患の診断法の確立と治療方法の開発に関する研究班，厚生労働省難治性の肝胆道疾患に関する調査研究班，日本胆道学会：IgG4 関連硬化性胆管炎臨床診断基準 2012．胆道 26：59-63，2012 より引用〕

不完全な（つづき）	
急性閉塞性化膿性胆管炎[7]	acute obstructive suppurative cholangitis
再発性化膿性胆管炎[8]	recurrent pyogenic cholangitis
腫瘍性狭窄	tumorous stricture
瘢痕性狭窄	cicatricial stricture
外傷性狭窄	traumatic stricture, stricture due to injury
胆道（胆嚢）の変形[9]と走行異常[10]	deformity（*or* abnormal shape）and abnormal configuration（*or* branching）of the biliary tract（*or* the gallbladder）
らせん状の	spiral, cork-screw shaped
蛇行した	tortuous
歪んだ	distorted
圧排された	displaced
圧迫された	compressed
屈曲した	angulated
胆嚢管と総肝管の合流形式	junction variation of the cystic duct and the common hepatic duct
膵胆管合流異常	pancreaticobiliary maljunction
胆嚢の変形	deformity of the gallbladder
萎縮胆嚢	atrophic gallbladder
フリジアンキャップ胆嚢	Phrygian cap gallbladder
重複（二重）胆嚢	duplication of the gallbladder, double gallbladder
副胆嚢	accessory gallbladder
浮遊胆嚢，遊走胆嚢	floating gallbladder
砂時計様胆嚢	hourglass gallbladder
陶器様胆嚢	porcelain gallbladder
副肝管	accessory hepatic duct
胆道の異常開口	abnormal opening of the biliary tract
内胆汁瘻[11]	internal biliary fistula
胆嚢十二指腸瘻	cholecystoduodenal fistula
胆管十二指腸瘻	choledochoduodenal fistula

V．胆道

・急性閉塞性化膿性胆管炎

7）急性胆管炎・胆嚢炎診療ガイドライン 2018（https://minds.jcqhc.or.jp/n/med/4/med0020/G0001075）における胆管炎および胆嚢炎の重症度は，重症（severe），中等症（moderate），軽症（mild）に分類される．

・再発性化膿性胆管炎

8）肝内結石症では，結石存在部は拡張し，その遠位側に狭窄を伴う胆管の異常形態を示し，しばしば化膿性胆管炎，肝膿瘍，敗血症に進展する．oriental pyogenic cholangitis，pyogenic cholangiohepatitis の別名がある．

・胆道（胆嚢）の変形

9）胆嚢の変形，先天性異常は多彩で，その他にも三重胆嚢 triplex gallbladder，二葉胆嚢 bilobed gallbladder，肝内胆嚢 intrahepatic gallbladder，左側胆嚢 left-sided gallbladder などがある．

・走行異常

10）胆嚢管の合流型式には高さや部位に variation がある．一般に総肝管右側に開口するが，らせん状 spiral course を描いて前壁を横切り後壁に開口するものや，後壁を横切り前壁に開口するもの，あるいは左側に開口するものなどがある．また胆嚢管が右肝管，十二指腸に開口するものや，胆嚢管が欠如するものなどの異常がある．

・内胆汁瘻

11）internal biliary fistula は手術，外傷，十二指腸潰瘍，腫瘍により胆道系と消化管，肝，子宮，膀胱，胸腔その他との間に交通のできた状態である．胆嚢十二指腸瘻が最も多い．

胆嚢の変形（つづき）

外胆汁瘻	external biliary fistula
胆石イレウス	gallstone ileus
括約筋部の変化	changes at the sphincteric region（*or* sphincter of Oddi）（→総論参照）
2. 内容物	**content**
血性胆汁	hemobilia
胆泥	biliary sludge, biliary debris
気泡	air bubble
胆道気腫，胆管気腫[12]	pneumobilia
胆石[13]	gallstone, biliary stone, biliary calculus（*or* calculi）, cholelithiasis
X 線透過性の	radiolucent, radiotransparent
X 線不透過性の	radiopaque
浮遊性	floating
巨大な	giant, large
微小な	minute, fine
多数の	multiple
単一の	solitary
嵌頓した	impacted, obstructing
胆嚢結石	cholecystolithiasis, gallbladder stone
総胆管結石[14]	choledocholithiasis, common bile duct stone
肝内結石	intrahepatic stone（*or* calculi）
遺残結石	residual（*or* retained）stone
3. 粘膜	**mucosa**（→総論参照）
胆嚢コレステロローシス[15]	cholesterolosis of the gallbladder
4. ひだ	**fold**（→総論参照）
5. 出血	**hemorrhage, bleeding**（→総論参照）
6. 隆起	**protrusion**
胆管（胆嚢）腫瘍	tumor of the bile duct（*or* gallbladder）
胆管（胆嚢）癌[16]	carcinoma of the bile duct（*or* gallbladder）
乳頭部癌[16]	carcinoma of the papilla of Vater
肝門部胆管癌（Klatskin 腫瘍）[17]	hilar cholangiocarcinoma（Klatskin tumor）

V. 胆道

・胆道気腫，胆管気腫

12）胆管内に空気が貯留している状態をいい，空気により描出された胆管像を pneumocholangiogram という．

・胆石

13）胆石は，その構成する成分により次のごとく分類される．

（1）コレステロール胆石 cholesterol gallstone
純コレステロール石 pure cholesterol stone
混合石 mixed stone
混成石 combination stone

（2）色素胆石 pigment gallstone
ビリルビンカルシウム石 calcium bilirubinate stone
黒色石 black stone

（3）稀な胆石－炭酸カルシウム石 calcium carbonate stone
－脂肪酸カルシウム石 calcium fatty acid stone
－他の混成石 other combination stone
－その他の胆石 miscellaneous stone

・総胆管結石

14）「臨床・病理 胆道癌取扱い規約．第7版」（金原出版，2021）では総胆管という用語は使用されなくなっているが，胆管結石では総胆管結石という表記が頻用される．

・胆囊コレステロローシス

15）苺様胆囊 strawberry gallbladder とも呼ばれる．

・胆管（胆囊）癌／乳頭部癌

16）「臨床・病理 胆道癌取扱い規約．第7版」（金原出版，2021）参照．

・肝門部胆管癌（Klatskin 腫瘍）

17）肝門部胆管癌で小さなものをいうが，最近は肝門部胆管癌の総称のごとく使われている．

胆管（胆嚢）腫瘍（つづき）

粘液産生性胆管（胆嚢）癌	mucus (*or* mucin) producing carcinoma of the bile duct (*or* gallbladder)
胆管（胆嚢）ポリープ[18]	polyp of the bile duct (*or* gallbladder)

7. 平坦な胆管病変および血管像　flat lesion and vascular pattern of the biliary tract（→総論参照）

8. 陥凹性病変　excavated lesion, depressed lesion（→総論参照）

9. 術後の状態　postoperative state

胆道消化管吻合部	bilioenteric anastomotic site
（術後）吻合部狭窄	(postoperative) stricture of the anastomotic site, stomal stricture
遺残胆嚢管	cystic duct remnant, residual cystic duct
瘻孔[19]	fistula, sinus tract

Ⅵ．膵臓[1]　pancreas

内視鏡的逆行性膵管造影および膵管鏡[2]　endoscopic retrograde pancreatography (ERP) and pancreatoscopy

1. （膵管の）壁および内腔　wall and lumen (of the pancreatic duct)

膵管（造影）像	pancreatogram
正常な	normal
異常な	abnormal
造影されない	unopacified, non-visualized
腺房造影[3]	acinar filling, acinarization
陰影欠損	filling defect
主膵管	main (*or* major) pancreatic duct
膵管分枝	branch of the pancreatic duct
変形	deformity of the main pancreatic duct (*or* branch)〔Ⅴ．胆道，1. 壁および内腔，胆道（胆嚢）の変形と走行異常の項参照〕
主膵管走行異常	abnormal course (*or* shape) of the main pancreatic duct
蛇行した	tortuous

Ⅴ．胆道

・胆管（胆囊）ポリープ

18）腺腫，cholesterol polyp などがある．

・瘻孔

19）瘻孔には，T チューブドレナージや経皮経肝的胆管ドレナージなど，手術的あるいは非手術的に診断と治療を目的に形成される外胆汁瘻が含まれ，胆道鏡の挿入経路として用いられることがある．

Ⅵ．膵臓

1）膵臓に関係する十二指腸鏡，膵管鏡，内視鏡的逆行性膵胆管造影および超音波内視鏡における用語を扱った．腹腔鏡における膵所見に関する用語はⅦ．胸腔鏡・腹腔鏡，B．腹腔の項を参照されたい．

・内視鏡的逆行性膵管造影および膵管鏡

2）pancreas の結合形は “pancreato-”，pancreaticus の結合形は “pancreatico-” であるが，慣用的に “pancreato-” を使うことが多い．なお「－造影法」は “-graphy”，「－造影する」は “-graph”，「－造影像」は “-gram” または “-graph” である．

・腺房造影

3）微細な膵管や腺房が造影されて生じるびまん性の淡い陰影をさす．

変形（つづき）	
圧排された	displaced
歪んだ	distorted
数珠状の	beaded
膵管壁	wall of the pancreatic duct
不整な，不規則な[4]	irregular
硬（直）化した	rigid
凹凸のある	uneven
拡張	dilatation
単純な	simple
不整な	irregular
びまん性	diffuse
限局性	localized
小嚢状[5]	saccular
プーリング	pooling
嚢胞状	cystic
狭窄	stenosis, stricture
狭小・狭細化[6]	narrowing
先細り	tapering
内腔の閉塞	occlusion, obstruction（→総論参照）
膵管の開口	opening of the pancreatic duct
乳頭開口部	orifice of the duodenal papilla
開存した	patent
開大した	widely-opened, enlarged
狭窄した	stenotic
閉塞した	occluded, obstructed
瘻孔	fistula
膵液瘻	pancreatic fistula
2. 内容物	**content**
膵液	pancreatic juice
膵管内の	intraductal
純粋な	pure
血性	bloody
粘稠な	mucinous, viscous
気泡	air bubble

Ⅵ．膵臓

・不整な，不規則な

4）「不規則」とは，膵管径や膵管壁の平滑な連続性が失われていることをいう（慢性膵炎臨床診断基準 2019．膵臓 34：279-281, 2019）．

・小嚢状 / 小嚢胞

5）サイズの小さい嚢胞状変化を“saccule”と呼ぶ．microcyst とほぼ同義である．“pooling”という表現は膵管内に造影剤が貯留し saccular に見える状態をいう．

・狭小・狭細化

6）内腔が狭いもののうち上流に拡張があり，流出障害の存在が明らかなものを「狭窄」といい, 上流に拡張を伴わないもの, あるいは全体にわたって狭いものを「狭小」あるいは「狭細」として区別することもある．

2. 内容物（つづき）

浮遊物	floating substance（*or* material）
膵管内粘液	intraductal mucin
蛋白栓	protein plug
膵石	pancreatic stone（*or* calculus, concretion）（→V. 胆道，2. 内容物，胆石の項参照）
X 線非透過性（陽性）	radiopaque
X 線透過性（非陽性）	radiolucent
嵌頓した	impacted, obstructing

3. 粘膜　mucosa

膵管粘膜	mucosa of the pancreatic duct（→総論 I．消化管，3. 粘膜の項参照）

4. 出血　hemorrhage, bleeding

5. 隆起　protrusion

膵腫瘍[7]	tumor of the pancreas
膵癌	carcinoma of the pancreas, pancreatic carcinoma（*or* cancer）

Ⅵ．膵臓

・膵腫瘍

7）**表 11** 参照.

表 11　膵腫瘍（上皮性腫瘍）の組織型分類

A．外分泌腫瘍　Exocrine neoplasms
- 1．漿液性腫瘍　Serous neoplasms（SNs）
  - a．漿液性囊胞腺腫　Serous cystadenoma（SCA）
  - b．漿液性囊胞腺癌　Serous cystadenocarcinoma（SCC）
- 2．粘液性囊胞腫瘍　Mucinous cystic neoplasms（MCNs）
  - a．粘液性囊胞腺腫　Mucinous cystadenoma（MCA）
  - b．粘液性囊胞腺癌　Mucinous cystadenocarcinoma（MCC）
- 3．膵管内腫瘍
  - a．膵管内乳頭粘液性腫瘍　Intraductal papillary mucinous neoplasms（IPMNs）
    - ①膵管内乳頭粘液性腺腫　Intraductal papillary mucinous adenoma（IPMA）
    - ②膵管内乳頭粘液性腺癌　Intraductal papillary mucinous carcinoma（IPMC）
  - b．膵管内オンコサイト型乳頭状腫瘍　Intraductal oncocytic papillary neoplasms（IOPNs）
    - ①膵管内オンコサイト型乳頭状腺癌　Intraductal oncocytic papillary carcinoma（IOPC）
  - c．膵管内管状乳頭腫瘍　Intraductal tubulopapillary neoplasms（ITPNs）
    - ①膵管内管状乳頭腺癌　Intraductal tubulopapillary carcinoma（ITPC）
  - d．膵上皮内腫瘍性病変　Pancreatic intraepithelial neoplasia（PanIN）
- 4．浸潤性膵管癌　Invasive ductal carcinomas（IDCs）
  - a．腺癌　Adenocarcinoma
  - b．腺扁平上皮癌　Adenosquamous carcinoma（asc）
  - c．粘液癌　Mucinous carcinoma（muc）
  - d．退形成癌　Anaplastic carcinoma（anc）
- 5．腺房細胞腫瘍　Acinar cell neoplasms（ACNs）
  - a．腺房細胞囊胞　Acinar cystic transformation（ACT）
  - b．腺房細胞癌　Acinar cell carcinoma（ACC）

B．神経内分泌腫瘍　Neuroendocrine neoplasms（NENs）
- 1．神経内分泌腫瘍　Neuroendocrine tumors（NETs，G1，G2，G3）
- 2．神経内分泌癌　Neuroendocrine carcinoma（NEC）

C．混合腫瘍　mixed neoplasms/mixed neuroendocrine non-neuroendocrine neoplasms（MiNEN）

D．分化方向の不明な上皮性腫瘍　Epithelial neoplasms of uncertain differentiation
- 1．充実性偽乳頭状腫瘍　Solid-pseudopapillary neoplasm（SPN）
- 2．膵芽腫　Pancreatoblastoma

E．分類不能　Unclassifiable

F．その他　Miscellaneous

〔日本膵臓学会（編）：膵癌取扱い規約．第 7 版増補版，金原出版，2020 より引用・改変〕

膵腫瘍（つづき）	
粘液（ムチン）産生腫瘍[8]	mucin producing neoplasm
神経内分泌腫瘍[9]	neuroendocrine neoplasm
膵管内腫瘍[10]	intraductal pancreatic neoplasm
膵管内乳頭粘液性腫瘍	intraductal papillary mucinous neoplasm（IPMN）
膵管内管状乳頭腫瘍	intraductal tubulopapillary neoplasm（ITPN）
粘液性嚢胞腫瘍	mucinous cystic neoplasm（MCN）
6. 平坦な膵管病変および血管像	**flat lesion and vascular pattern of the pancreatic duct**（→総論Ⅰ．消化管，7. 平坦粘膜病変および血管像の項参照）
7. 術後の状態	**postoperative state**
膵管空腸吻合	pancreat (ic) ojejunostomy
膵管胃吻合	pancreat (ic) ogastrostomy
8. その他の病変	**other pathological condition**
発生異常	congenital anomaly, malformation
膵管非癒合[11]	non-fusion of the pancreatic ducts, pancreas divisum[11]
膵胆管合流異常[12]	pancreaticobiliary maljunction

Ⅵ. 膵臓

・粘液（ムチン）産生腫瘍

8）粘液産生腫瘍の概念は日本で生まれたもので，粘液産生が著明で画像診断上特徴的な所見を示す腫瘍として，1982年大橋らによって初めて報告されて以来，多くの症例が発見され，それを病理学的に整理するなかで確立したentityが膵管内乳頭粘液性腫瘍（IPMN）である．

・神経内分泌腫瘍

9）2019年のWHO分類では神経内分泌腫瘍はneuroendocrine neoplasm（NEN）と総称され，その中でneuroendocrine tumor（NET）とneuroendocrine carcinoma（NEC；神経内分泌癌）が区別された．

・膵管内腫瘍

10）「膵管内腫瘍」は主として膵管内に発育する腫瘍を臨床的見地から一括した表現である．稀に管状構造を呈する腫瘍もあるが，最も高頻度のタイプは乳頭状の構造を示し，粘液産生性である．主膵管型と分枝型，混合型がある（**図16**）．分枝型と粘液性嚢胞腫瘍の鑑別が臨床的に最も問題になるが，粘液性嚢胞腫瘍は女性がほとんどであり，また組織学的にも卵巣様間質ovarian-type stromaが認められることから鑑別は可能である．

・膵管非癒合

11）“pancreas divisum”は本来は膵実質が分離している「分葉膵」あるいは「分割膵」を意味する病理学用語であり，膵実質は癒合しているのに腹側膵管と背側膵管が癒合せず交通のない「膵管非癒合」の意味で使うのは混乱を招くと抗議する病理学者もいる．しかし，内視鏡の分野では欧米も含めて膵管非癒合の意味で広義に使われることが多い．正確には“ductus pancreaticus divisus”というべきであろう．膵管融合不全の中に，完全型と不完全型があり，完全型をpancreas divisumとも使われる．

・膵胆管合流異常

12）解剖学的に膵管と胆管が十二指腸壁外で合流する先天性の形成異常をいう（膵・胆管合流異常の診断基準2013．胆道27：785-787, 2013）．

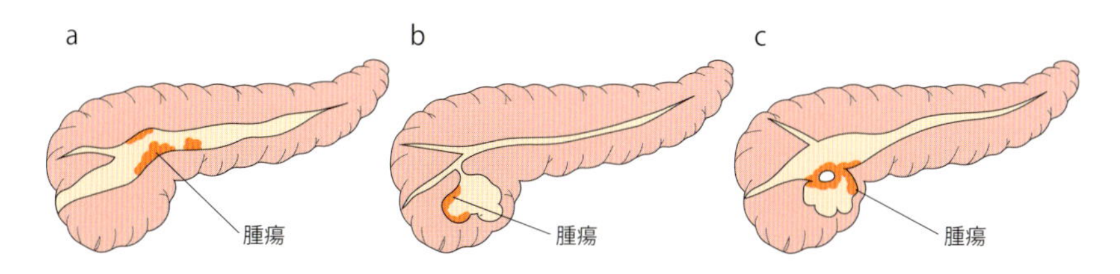

図16　膵管内腫瘍
a：主膵管型，b：分枝型，c：混合型

発生異常（つづき）	
膵体尾部欠損症[13]	aplasia, hypoplasia, agenesis (of the body and tail of the pancreas)
輪状膵	annular pancreas
膵炎[14]	pancreatitis
背側[15]	dorsal
腹側[15]	ventral
腫瘤形成性[16]	mass-forming, tumor-forming, (pancreatitis) with an inflammatory mass
自己免疫性膵炎	autoimmune pancreatitis
膵石症	pancreat (ic) olithiasis
膵管炎[17]	pancreatic ductitis
膵囊胞	pancreatic cyst, cyst of the pancreas
小囊胞[5]	microcyst
仮性囊胞	pseudocyst

Ⅵ．膵臓

・膵体尾部欠損症

13)「無形成 aplasia」とは，器官・組織の原基が形成された後に，何らかの原因で発育が停止したために，器官・組織がまったく欠如している状態をいう．原基が初めから形成されなかった場合には「無発生 agenesis」と呼ばれる．また「低形成 hypoplasia」は形成不全の意味で，発育不全のため臓器や組織が正常の大きさに達しなかったり，一部が欠損しているものをさす．いったん正常の大きさになった後，何らかの原因で二次的に萎縮・消失したものはこれには含まれない．
膵体尾部欠損症にはいろいろな発生機序が考えられる．膵体尾部が欠損していても副乳頭が認められたり，Santorini 管が認められれば，背側膵原基は形成されたことになるので，低形成 hypoplasia と呼ぶべきであろう．なお，膵体尾部がいったん形成された後，変性・萎縮・脂肪置換され，膵体尾部が欠損しているように見える例も知られている．これは厳密には膵体尾部欠損症ではないが，臨床的には区別できない場合も少なくないので，膵体尾部欠損症として扱われることもある．
副乳頭が欠損し，Santorini 管がなく，病理組織学的にも膵頭部に背側膵原基由来の組織がまったく欠如していれば，無発生 agenesis である可能性が強い．しかしそれらの条件が満たされない場合には，単に膵体尾部が形成されていないという事実にのみ言及して，無形成 aplasia と呼ぶことが妥当であろう．

・膵炎

14) 膵炎はその病型や成因により，さらに急性 acute，慢性 chronic，持続性 persistent，胆石性 gallstone，随伴性 concomitant などの修飾語をつけて表現されることもある．

・背側／腹側

15) 膵管非癒合例において，背側膵のみ，あるいは腹側膵のみに膵炎の所見がみられるものを，背側膵炎 dorsal pancreatitis あるいは腹側膵炎 ventral pancreatitis と呼ぶ．

・腫瘤形成性

16) 形態上腫瘤を形成する膵炎をさす．なお，総論では「腫瘤形成性」の英訳は fungating となっている．しかし，これは腸管などの粘膜から管腔内に突出した状態の腫瘍に対して用いられる表現である．腫瘤形成性膵炎の場合には膵の一部または全体が腫瘤状になるので，fungating とはいわない．

・膵管炎

17) 膵管炎とは，膵の実質の炎症はほとんどなく，膵管およびその周囲の炎症により膵管の壁不整や膵管の蛇行が現れるものをいう．まだ確立された概念ではないが，しばしば使われる．

膵嚢胞（つづき）	
被包化膵壊死[18]	walled-off necrosis（WON）
病変の分布	distribution
びまん性	diffuse
限局性	localized
区域性[19]	segmental
亜区域性[20]	subsegmental
不均一な[21]	not uniform
不規則な[22]	irregular
病変の程度	severity
高度	severe
中等度	moderate
軽度	mild

Ⅶ．胸腔鏡・腹腔鏡

A．胸腔[1]	**pleural cavity**
1．胸腔壁	**thoracic wall**
形状の変化	change in shape
奇形	malformation
漏斗胸	funnel chest
鳩胸	pigeon chest
欠損	defect
横隔膜ヘルニア	diaphragmatic hernia
胸壁損傷	chest wall injury
肋骨骨折	rib fracture
平坦病変	flat lesion
気腫	emphysema
隆起性病変	protruding lesion, elevated lesion
炎症性病変	inflammatory lesion
肋骨周囲結核	pericostal tuberculosis
胸壁腫瘍	chest wall tumor
2．胸膜・胸腔内の変化	**change in the pleura/intra-pleural cavity**
胸膜の変化	change in the pleura
平坦性病変	flat lesion
気腫	emphysema

Ⅵ．膵臓

・被包化膵壊死

18）被包化膵壊死（WON）とは，壊死性膵炎後に液状化した壊死組織が被包化され囊胞性病変を形成した病態である（Banks PA, Bollen TL, Dervenis C, et al：Gut 62：102-111, 2013）．急性膵炎に伴う膵および膵周囲病変については，発症からの期間・膵壊死の有無・感染の有無により**表12**のように分類される．

・区域性

19）一区域（ほぼ1/3）の膵管に所見を認める．

・亜区域性

20）一区域に及ばない．

・不均一な

21）「不均一」とは，部位により所見の程度に差があることをいう（慢性膵炎臨床診断基準2019．膵臓34：279-281, 2019）．

・不規則な

22）膵管径や膵管壁の平滑な連続性が失われていること．

Ⅶ．胸腔鏡・腹腔鏡

・胸腔

1）胸腔鏡関連用語を取り扱う．内視鏡所見に関する基本用語との重複を避けるため，共通用語は省略した．

表12　改訂アトランタ分類

	膵炎発症後4週間以内	膵炎発症後4週間以上	
壊死なし	急性膵周囲液体貯留 Acute peripancreatic fluid collection （APFC）	膵仮性囊胞 Pancreatic pseudocyst （PPC）	感染なし
			感染あり
壊死あり	急性壊死性貯留 Acute necrotic collection （ANC）	被包化膵壊死 Walled-off necrosis （WON）	感染なし
			感染あり

〔Banks PA, Bollen TL, Dervenis C, et al：Classification of acute pancreatitis--2012：revision of the Atlanta classification and definitions by international consensus. Gut 62：102-111, 2013より引用〕

平坦性病変（つづき）
　炎症性病変 — inflammatory disease
　　胸膜炎 — pleuritis
　　　癌性胸膜炎 — carcinomatous pleuritis
隆起性病変 — protruding lesion, elevated lesion
　斑，斑状の — spot, spotty
　結節，結節性 — nodule, nodular
　浸潤，浸潤性 — infiltration, infiltrative
　腫瘍，腫瘤 — tumor, mass
　原発性腫瘍 — primary tumor
　転移性腫瘍 — metastatic tumor
　　播種，播種性 — (pleural) dissemination, disseminated
　　転移，転移性 — (pleural) metastasis, metastatic
　胸膜腫瘍[2] — pleural tumor
　　（胸膜）中皮腫 — pleural mesothelioma
胸腔内病変 — lesions in the pleural cavity
　気胸 — pneumothorax
　胸水 — pleural effusion
　血胸 — hemothorax
　膿胸 — pyothorax
　乳び胸 — chylothorax

3. 縦隔 — mediastinum

壁の変化 — change in the wall
　平坦性病変 — flat lesion
　　（縦隔）気腫 — (mediastinal) emphysema
　　縦隔炎 — mediastinitis
　隆起性病変 — protruding lesion, elevated lesion
　　（縦隔）腫瘍 — (mediastinal) tumor

4. 横隔膜 — diaphragm

形状の変化 — change in shape
　欠損 — defect
　　横隔膜ヘルニア[3] — diaphragmatic hernia
　　食道裂孔ヘルニア[4] — hiatal hernia, hiatus hernia

5. 肺，気管，気管支 — lung, trachea, bronchus (*pl.* bronchi)

形状の変化 — change in shape

Ⅶ．胸腔鏡・腹腔鏡

・胸膜腫瘍

2）胸膜腫瘍には中皮腫のほかに転移性腫瘍がある．

・横隔膜ヘルニア

3）Bochdalek 孔ヘルニア Bochdalek's hernia，Morgagni 孔ヘルニア Morgagni's hernia，食道裂孔ヘルニア hiatus hernia，外傷性横隔膜ヘルニア traumatic hernia of the diaphragm がある．

・食道裂孔ヘルニア

4）不十分な食道横隔膜靱帯の固定あるいは巨大な食道裂孔に起因し，滑脱型 sliding type，傍食道型 paraesophageal type，混合型 mixed type がある．

形状の変化（つづき）	
先天性奇形	congenital malformation
（肺）欠損	pulmonary agenesis
（肺）形成不全	pulmonary hypoplasia
血管系の異常	vascular abnormality
壁および実質の変化	change in the wall and parenchyma
平坦病変	flat lesion
肺炎	pneumonia
肺化膿症	pulmonary suppuration
肺膿瘍	lung abscess
肺結核	pulmonary tuberculosis
気管支拡張症	bronchiectasis
無気肺	atelectasis
隆起性病変	protruding lesion, elevated lesion
斑	plaque
結節	nodule
浸潤	infiltration
気囊腫	pneumatocele
肺気腫	emphysema
気腫性囊胞	emphysematous bulla（*pl.* bullae）
肺胞性囊胞	pulmonary blebs
（肺）腫瘍	tumor（of the lung）

6. 胸部食道　thoracic esophagus

壁の変化	change in the wall of esophagus
平坦病変	flat lesion
食道憩室	esophageal diverticulum（*pl.* diverticula）
食道アカラシア	esophageal achalasia
炎症性病変	inflammatory lesion
損傷	injury
機械的損傷	mechanical injury
特発性食道破裂	spontaneous rupture of the esophagus, Boerhaave's syndrome
瘻孔	fistula
食道気管瘻	esophagobronchial fistula

瘻孔（つづき）	
食道縦隔瘻	esophagomediastinal fistula
食道狭窄	stricture of the esophagus
隆起性病変	protruding lesion, elevated lesion
食道腫瘍	tumor of the esophagus

B. 腹腔[5)] **peritoneal cavity**

1. 腹膜 **peritoneum**

壁の変化	change in the wall
平坦病変	flat lesion
炎症性疾患	inflammatory diseases
腹膜炎	peritonitis
限局性	local peritonitis
汎発性	pan-peritonitis, generalized peritonitis
結核性	tuberculous peritonitis, peritonitis tuberculosa
癌性	carcinomatous peritonitis, peritonitis carcinomatosa
線維化	fibrosis
浸潤	infiltration
脂肪壊死	steatonecrosis
気嚢腫	pneumatocele
隆起性病変	protruding lesion, elevated lesion
腫瘍，腫瘤[6)]	tumor, mass
結節[7)]	nodule
粟粒状結節[8)]	miliary nodule
液状内容物	liquid contents
腹水[9)]	ascites
腹腔内膿瘍	intraperitoneal abscess
腹腔内出血	hemoperitoneum
腹膜偽性粘液腫	pseudomyxoma peritonei
癒着[10)]	adhesion
血管系の異常	vascular disturbances
充血[11)]	hyperemia

Ⅶ．胸腔鏡・腹腔鏡

・腹腔

5)腹腔鏡関連用語を取り扱う．内視鏡所見に関する基本用語との重複を避けるため，共通用語は省略した．

・腫瘍，腫瘤

6）中皮腫 mesothelioma，転移性腫瘍 metastatic tumor などがある．

・結節

7）修飾語として miliary，tumor-like，soft tumor-like，hard tumor-like，black tumor-like，cystic tumor-like などがその所見から用いられる（Terminology, Definitions and Diagnostic Criteria in Digestive Endoscopy. 3rd ed, Normed, 1994 参照）．

・粟粒状結節

8）転移性癌や粟粒結核にみる．

・腹水

9）漿液性 serous，線維素性 fibrinous，線維素・膿性 fibrino-purulent，乳び状 chylous，漿液・出血性 serous-hemorrhagic などがある．

・癒着

10）索状 band-like，膜状 membranous の癒着がある．また臓側腹膜・臓側腹膜間 viscero-visceral，臓側腹膜・壁側腹膜間 viscero-parietal の癒着などと表現されることもある．

・充血

11)門脈圧亢進症にみる静脈血のうっ滞に起因する充血は passive hyperemia, 腹膜炎, 結核性腹膜炎や腫瘍にみる充血は active hyperemia と表現される（Terminology, Definitions and Diagnostic Criteria in Digestive Endoscopy. 3rd ed, Normed, 1994 参照）．

液状内容物（つづき）	
出血性病変	hemorrhagic lesion
点状出血	petechia
斑状出血	suffusion
2. 大網・小網	**greater omentum, lesser omentum**
脂肪織病変	lesion of the adipose tissue
線維化	fibrosis
3. 肝臓	**liver**
位置異常	displacement
硬度の変化[12]	change in stiffness
形態異常	abnormal liver appearance
Riedel 葉	Riedel's lobe
部分欠損	partial hypoplasia
分葉肝	hepar lobatum
大きさの変化	change in size
腫大	enlargement
萎縮	atrophy
びまん性[13]	diffuse
不揃いの	disproportional
一葉の	lobar
局所性	localized, topical
色調の変化[14]	change in color
肝被膜および実質性病変	capsular and parenchymal lesion of the liver
肝臓の平坦性病変	flat lesion of the liver
被膜の肥厚	capsular thickening
びまん性肝周囲炎	diffuse perihepatitis
糖衣肝[15]	sugar-icing liver
被膜の線維斑	capsular fibrous plaque
肝臓の隆起性病変[16]	protruding（*or* elevated）lesion of the liver
実質性結節	parenchymal nodules
小結節性[17]	micronodular
大結節性[18]	macronodular
結節の色調[19]	color of parenchymal nodules

Ⅶ．胸腔鏡・腹腔鏡

・硬度の変化

12）硬度の増強 increased stiffness は肝硬変で，硬度減弱 decreased stiffness は劇症肝炎 fulminant hepatitis などで認められる．

・びまん性

13）両葉腫大あるいは両葉萎縮を意味する．

・色調の変化

14）肝表面の色調を表現する言葉としては，赤色 red，暗赤色 dark red，赤褐色 copper brown，赤茶色 rusty brown，白色 white，薄いピンク pale pink，黄色 yellow，黄色調 yellowish，黄色がかった赤 yellowish red，サーモンピンク salmon-like，緑色 green，青色 blue，灰色 gray，黒色 black などのほか，まだらな色調の variegated などがある．

・糖衣肝

15）白色調の著明に肥厚した皮膜に覆われた状態で結核性肝周囲炎，慢性心不全，癌などでみる．

・肝臓の隆起性病変

16）本病変には，びまん性 diffuse と局在性 localized，topical のものがある．

・小結節性

17）結節の直径が 3mm 以下のものをいう．ただし，直径が 1mm 以下のものをとくに ultra-micronodular とするものもある．

・大結節性

18）結節の直径が 3mm を超えるものをいう．ただし，直径が 10mm を超えるものをとくに megalo-nodular とするものもある．

・結節の色調

19）病態により黄色 yellow，赤さび色 rusty red，緑色 green などと表現される．

肝被膜および実質性病変（つづき）	
その他の結節	other nodules
粟状結節[20]	miliary nodule
腫瘍性結節	neoplastic nodules
多発性肝嚢胞	polycystic liver
腫瘍，腫瘤	tumor, mass
実質性	parenchymal
原発性腫瘍	primary tumor
続発性腫瘍	secondary tumor
腺腫性結節	adenomatous nodule
嚢胞，嚢胞状	cyst, cystic
孤立性嚢胞	solitary cyst
包虫嚢胞	hydatid cyst
血管腫性腫瘍	angiomatous tumor
血管腫	hemangioma
肝表面の脈管系変化	abnormal vascularization of the liver surface
（肝）ペリオーシス	peliosis（hepatis）
リンパうっ滞	lymphatic stasis
リンパ小水疱	lymphatic microcyst（*or* vesicle）
肝表面小葉紋理のびまん性変化	diffuse change of acinar（*or* lobular）marking of the liver surface
白色紋理[21]	whitish marking
赤色紋理[22]	reddish marking
門脈周囲の	periportal
小葉中心性	centrilobular
多小葉性	multilobular
区域化[23]	block formation
斑紋[24]	patch
肝臓の陥凹性病変	excavated（*or* depressed）lesion of the liver
びまん性肝壊死	diffuse hepatic necrosis
びまん性瘢痕	diffuse scar
線状瘢痕	linear scar
肋骨陥凹	costal impression, furrow

Ⅶ．胸腔鏡・腹腔鏡

・粟状結節

20）結核，サルコイドーシス，ブルセラ症の結節あるいは悪性リンパ腫などを示す．

・白色紋理

21）肝の基本的構造に基づき，脈管周囲の点状白斑あるいは樹枝状白斑として観察されるもので，炎症性滲出や線維化を示す．なお，規則正しい配列のみられないものは被膜の線維斑として扱う．

・赤色紋理

22）肝細胞の脱落壊死巣を示すもので，赤い星芒状あるいは網目状構造物として観察される．小葉内の存在部位により門脈周囲性と小葉中心性に分けられ，また多くの小葉にまたがるものを多小葉性とする．

・区域化

23）門脈周辺の線維化進展による門脈域または中心静脈―門脈域または中心静脈結合により出現し，白色網目状に区域された肝実質域として観察される．

・斑紋

24）再生肝細胞集団を容れる暗赤色小円形斑をいう．

肝臓の陥凹性病変（つづき）	
瘢痕肝	scarred liver
漏斗肝	funnel liver
4. 胆嚢・肝外胆管	**gallbladder/extrahepatic biliary tract**
位置異常	abnormal position
左側胆嚢	left-sided gallbladder
形態異常	abnormal appearance
胆嚢欠損	agenesis of the gallbladder
胆嚢形成（発育）不全	hypoplasia of the gallbladder
総胆管嚢腫	choledochal cyst
先天性胆道閉鎖症	congenital biliary atresia
緊満度の変化[25]	change in tension
壁の変化	change in the wall
血管系の異常	vascular disturbance
平坦病変	flat lesions
壊死	necrosis
肥厚	thickening
硬化症[26]	sclerosis
炎症性疾患	inflammatory diseases
胆嚢炎	cholecystitis
胆嚢結石	cholecystolithiasis
胆管炎	cholangitis
原発性硬化性胆管炎	primary sclerosing cholangitis
陶器様胆嚢，磁器様胆嚢，石灰化胆嚢	porcelain gallbladder, porcelaneous gallbladder
隆起性病変	protruding lesion, elevated lesion
胆嚢癌	carcinoma of the gallbladder
肝外胆管癌	carcinoma of the extrahepatic biliary tract
胆嚢周囲病変	pericholecystic lesion
胆嚢周囲炎	pericholecystitis
胆嚢周囲膿瘍	pericholecystic abscess
5. 胃	**stomach**
形状・大きさの変化	change in volume
急性胃拡張	acute dilatation of the stomach

Ⅶ．胸腔鏡・腹腔鏡

・緊満度の変化

25）ゾンデ sonde，プローブ probe を用いた触診による．胆管閉塞による胆汁うっ滞では胆嚢は腫大・拡張し，緊満度の増大 increased tension をみるが，高位胆管閉塞があると緊満度の低下 decreased tension を示す．

・硬化症

26）肥厚・硬化した状態をさし，慢性胆嚢炎，癌などで認められる．

形状・大きさの変化（つづき）	
胃壁突出[27]	endogastric buldging of the gastric wall
壁の変化	change in the wall
平坦病変	flat lesion
穿通，穿通性	penetration, penetrated
穿孔，穿孔性	perforation, perforated
瘻孔	fistula
隆起性病変	protruding lesion, elevated lesion
腫瘍，腫瘤	tumor, mass
壁在性	mural
壁内性	intramural
壁外性	extramural
血管系の異常	vascular disturbance
血管新生[28]	neovascularization, angiogenesis
腫瘍血管	tumor vessel
6. 小腸，大腸	**small intestine, large intestine**
位置の異常[29]	change of position
形状・大きさの変化	change in form and volume
腸壁突出[30]	endointestinal bulging
壁の病変	lesions of the wall
平坦病変	flat lesion
壊死	necrosis
梗塞	infarction
隆起性病変	protruding lesion, elevated lesion
血管系の異常	vascular disturbance
虚血，虚血性	ischemia, ischemic
血管新生	neovascularization, angiogenesis
腫瘍血管	tumor vessel
7. 虫垂	**appendix**
形状の変化	change in shape
変形性虫垂	deformed appendix
慢性虫垂炎	chronic appendicitis
壁の変化	change in the wall
炎症性変化	inflammatory change

Ⅶ．胸腔鏡・腹腔鏡

・胃壁突出
27）胃内の物体により胃壁の一部が突出した状態.
・血管新生
28）胃癌の漿膜面浸潤の際などにみる.
・位置の異常
29）先天性あるいは，腫瘍，子宮付属器，大動脈瘤，手術などにより位置に変化を認める.
・腸壁突出
30）腸管内の物体により腸壁の一部が突出した状態.

炎症性変化（つづき）	
急性虫垂炎	acute appendicitis
急性穿孔性虫垂炎	acute appendicitis perforativa
うっ血性虫垂[31]	congested appendix

8. 脾臓　spleen

形状の変化	change in shape
分葉脾	plurilobar spleen
副脾	accessory spleen
大きさの変化	change in volume
脾臓腫大（脾腫）	splenomegaly
色調の変化[32]	change in color
脾被膜および実質性病変	capsular and parenchymal lesion of the spleen
平坦性病変	flat lesion
被膜の変化	capsular changes
線維斑	fibrous plaque
びまん性脾周囲炎	diffuse perisplenitis
糖衣脾	sugar icing spleen
隆起性実質性病変	protruding（*or* elevated）parenchymal lesion
単発性隆起	single protrusion
局所性隆起[33]	local buldging
血腫	hematoma
血管腫[34]	hemangioma, angioma
腫瘍，腫瘤	tumor, mass
嚢胞	cyst
多発性隆起	multiple protrusion
顆粒	granules
結節	nodules
斑	plaques
（多発性）血管腫	angiomatosis
（多発性）リンパ管腫	lymphangiomatosis
陥凹性病変	excavated lesion
梗塞	infarction
瘢痕	scar

Ⅶ．胸腔鏡・腹腔鏡

・うっ血性虫垂

31）急性虫垂炎 acute appendicitis の際によくみられる所見である．

・色調の変化

32）さび色（赤褐色）rusty，暗紫色 deep violet，赤色 red，まだらな色調 variegated などの変化である．

・局所性隆起

33）膿瘍，嚢胞，中心壊死を伴う悪性リンパ腫，脾血腫などでみる．

・血管腫

34）特異的なものに海綿状血管腫がある．

9. 膵臓[35]	**pancreas**
色調の変化[36]	change in color
膵実質性病変	parenchymal lesion of the pancreas
平坦性病変	flat lesion
壊疽性膵炎	necrotic pancreatitis
隆起性病変	protruding lesion, elevated lesion
膵腫瘍	tumor of the pancreas, pancreatic tumor
膵臓癌	carcinoma of the pancreas, pancreatic cancer
嚢胞	cystic lesion of the pancreas, pancreatic cyst
真性嚢胞	true cyst
仮性嚢胞	pseudocyst
10. 骨盤臓器	**pelvic organ**
卵巣	ovary
形状の変化[37]	change of shape
隆起性病変	protruding lesion, elevated lesion
腫瘍，腫瘤	tumor, mass
Meigs 症候群	Meigs' syndrome
嚢胞[38]	cyst
平坦性病変	flat lesion
子宮内膜症[39]	endometriosis
卵管	salpinx, fallopian tube
形状の変化[40]	change in shape
子宮	uterus
形状の変化[41]	change in shape
円靱帯	round ligament
広靱帯	broad ligament
11. 後腹膜腔内臓器	**organs in the retroperitoneal space**
腎臓	kidney
副腎	adrenal gland

Ⅶ．胸腔鏡・腹腔鏡

・膵臓

35）観察法として，膵頭部はヘニング法 Henning's method，膵体部は胃上部あるいは胃下部から網嚢内に入ることにより観察可能である．

・色調の変化

36）膵癌は髄様白色調 medullary white を呈する．

・形状の変化

37）卵巣無形成 ovarian aplasia，定数外卵巣 supernumerary ovary，副卵巣 accessory ovary，半陰陽 hermaphroditism などがある．

・嚢胞

38）卵胞嚢胞 follicle cyst，ルテイン嚢胞 lutein cyst，Stein-Leventhal 卵巣 Stein-Leventhal ovary などがある．

・子宮内膜症

39）卵巣のみでなく骨盤臓器のいかなる部位にも起こりうる．

・形状の変化

40）卵管妊娠 tubal pregnancy，卵管閉塞 tubal occlusion，卵管水腫 hydrosalpinx，卵管膿腫 pyosalpinx，副卵管嚢胞 parovarian cyst などがある．

・形状の変化

41）半角子宮 unicornuate uterus，重複子宮 double uterus，痕跡子宮 rudimentary uterus，子宮の欠損 absence of uterus などがある．

内視鏡手技に関する基本用語

I．診断的内視鏡 diagnostic endoscopy

1. 内視鏡（検査）[1] endoscopy

術前内視鏡[2]	preoperative endoscopy
術中内視鏡[2]	intraoperative endoscopy
術後内視鏡[2]	postoperative endoscopy
小児内視鏡	pediatric endoscopy
上部消化管内視鏡	esophagogastroduodenoscopy（EGD), upper gastrointestinal endoscopy
パンエンドスコピー[3]	(panendoscopy)
食道（内視）鏡	esophagoscopy
胃（内視）鏡	gastroscopy
十二指腸（内視）鏡	duodenoscopy
経鼻内視鏡[4]	transnasal endoscopy
小腸（内視）鏡	enteroscopy
プッシュ式	push enteroscopy
ロープウェイ式	ropeway enteroscopy
ゾンデ式	sonde enteroscopy
デバイス小腸内視鏡	Device assisted enteroscopy（DAE）
バルーン小腸内視鏡	balloon assisted enteroscopy（BAE）
ダブルバルーン小腸内視鏡	double-balloon enteroscopy（DBE）
シングルバルーン小腸内視鏡	single-balloon enteroscopy（SBE）
スパイラル小腸内視鏡[5]	spiral enteroscopy
スパイラルオーバーチューブを用いた小腸内視鏡	spiral enteroscopy using a specialized overtube
電動スパイラル小腸内視鏡	motorized spiral enteroscopy
カプセル内視鏡[6]	capsule endoscopy
大腸内視鏡	colonoscopy（CS）
S 状結腸鏡	sigmoidoscopy
全大腸内視鏡	total colonoscopy（TCS）
直腸鏡	proctosigmoidoscopy, proctoscopy

Ⅰ．診断的内視鏡

・内視鏡（検査）

1）内視鏡 endoscope を用いて行う手技を内視鏡（手技）endoscopy という．内視鏡（手技）には，診断的側面と治療的側面が含まれる．そのため，和文及び英文執筆時には，以下の点に留意して戴きたい．
英語から日本語への翻訳例
endoscope ＞内視鏡，スコープ（機器を意味することを強調したい場合）
endoscopy ＞内視鏡，内視鏡手技，内視鏡検査
日本語から英語への翻訳例
内視鏡（機器を意味する場合）＞ endoscope
内視鏡（手技を意味する場合），内視鏡手技，内視鏡検査，内視鏡治療＞ endoscopy
検査・診断目的であることを強調したい場合＞ endoscopic examination, diagnostic endoscopy
治療目的であることを強調したい場合＞ endoscopic treatment, endoscopic therapy, therapeutic endoscopy

・術前内視鏡 / 術中内視鏡 / 術後内視鏡

2）術前，術中，術後内視鏡検査の endoscopy は gastroscopy，colonoscopy，cholangioscopy などに置き換えて使用される．術前内視鏡検査は一般的な内視鏡検査がこれに当たるが，経皮経肝胆道鏡は術前のみならず術後にも percutaneous transhepatic biliary drainage（PTBD）が追加設置され施行されることもあるので，区別する必要が時に生ずる．

・パンエンドスコピー

3）panendoscopy という英語は消化器領域では一般的ではないようである．膀胱鏡で膀胱および尿道が観察できる広視野角のものを panendoscopy という．

・経鼻内視鏡

4）経鼻内視鏡は鼻腔を介して上部消化管に挿入する検査である．主に径の細い，細径スコープを用いる．

・スパイラル小腸内視鏡

5）手動のものは「spiral enteroscopy using a specialized overtube」，電動のものは「motorized spiral enteroscopy」と表記される．

・カプセル内視鏡

6）カプセル内視鏡は米国では video capsule endoscopy，ヨーロッパでは wireless capsule endoscopy と呼んでいるが，いずれも器械に差はなく，カプセルで撮像した情報を無線で録画装置に送り，ここからビデオモニターに像を映し出して診断をつけることには変わりない．単純に capsule endoscopy と呼ぶことにしたい．

大腸内視鏡（つづき）	
バルーン大腸内視鏡	balloon assisted colonoscopy（BAC）
ダブルバルーン大腸内視鏡	double-balloon colonoscopy（DBC）
シングルバルーン大腸内視鏡	single-balloon colonoscopy（SBC）
大腸カプセル内視鏡	colon capsule endoscopy
肛門鏡	anoscopy
胆道鏡，胆管鏡	choledochoscopy, cholangioscopy
経口胆道鏡[7]	peroral cholangioscopy（POCS）
経皮経肝胆道鏡[8]	percutaneous transhepatic cholangioscopy（PTCS）
膵管鏡	pancreatoscopy
胆囊内視鏡検査	cholecystoscopy
経皮経肝胆囊内視鏡[9]	percutaneous transhepatic cholecystoscopy
経口膵管鏡	peroral pancreatoscopy（POPS）
腹腔鏡[10]	laparoscopy, peritoneoscopy（→内視鏡手技に関する基本用語—各論，Ⅶ. 胸腔鏡・腹腔鏡，B. 腹腔の項参照）
縦隔鏡	mediastinoscopy
胸腔鏡	thoracoscopy

2. 内視鏡下に行われる一般的診断手技　common diagnostic procedures under endoscopic control

浸水法	water immersion method
水置換法	water exchange method
ゲルイマージョン法	gel immersion method
生検	biopsy
直視下生検	endoscopic biopsy
鉗子生検	forceps biopsy
吸引生検	suction biopsy, aspiration biopsy
スネア生検[11]	snare biopsy
針生検	needle biopsy
細胞診	cytology
擦過細胞診	brush cytology
洗浄細胞診	lavage cytology
吸引細胞診	aspiration cytology

Ⅰ．診断的内視鏡

・経口胆道鏡

7）経口胆道・膵管鏡 peroral cholangiopancreatoscopy と総称されることがある．

・経皮経肝胆道鏡

8）経皮経肝胆道鏡 percutaneous transhepatic cholangioscopy（PTCS）は percutaneous transhepatic biliary drainage（PTBD）瘻孔からの内視鏡検査をさすが，経皮胆道鏡 percutaneous cholangioscopy は本法を含め手術的に形成された瘻孔からの胆道鏡，すなわち術後胆道鏡 postoperative cholangioscopy（choledochoscopy）すべてが含まれる．

・経皮経肝胆嚢内視鏡

9）経皮経肝胆嚢内視鏡 percutaneous transhepatic cholecystoscopy（PTCCS）は経皮経肝胆嚢ドレナージ percutaneous transhepatic gallbladder drainage（PTGBD）瘻孔を介しての内視鏡検査．胆嚢穿刺・ドレナージは通常超音波ガイド下に行われる．

・腹腔鏡

10）スコープには硬性鏡と軟性鏡の２種があり，前者には0° zero-degree（end-viewing, forward-viewing），30° 30-degree，45° 45-degree の光学視管がある．

・スネア生検

11）隆起を形成しない病変の場合，病変底部粘膜下層内に生理的食塩水などをあらかじめ注入し，ポリペクトミーの手技を行うもので，大量の組織採取を目的とする．ストリップ・バイオプシーという語を用いることもある．

2. 内視鏡下に行われる一般的診断手技（つづき）

画像強調内視鏡	image enhanced endoscopy（**図 17**）
デジタル法	digital method
コントラスト法	contrast method
光デジタル法	optical digital method
色素法[12]	chromoendoscopy, chromoscopy
コントラスト法	contrast method
染色法	staining method

3. 医用画像診断支援システム[13]　**computer assisted diagnosis (CAD)**

病変検出支援	Computer-Aided Detection（CADe）
質的診断支援	Computer-Aided Diagnosis（CADx）

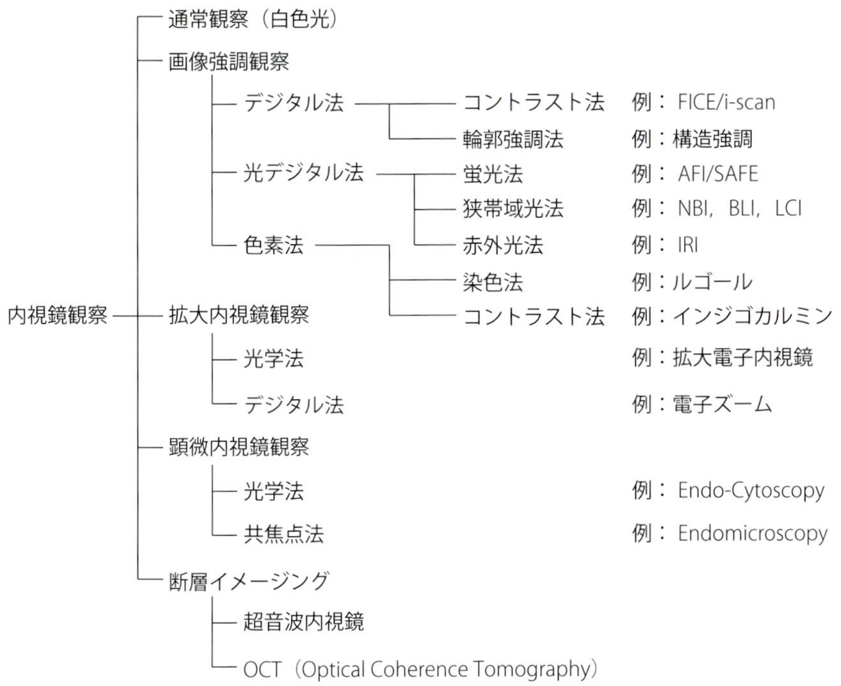

図 17　内視鏡観察法の目的別分類（亜分類）（丹羽寛文，田尻久雄）
〔日本消化器内視鏡学会（監修）：消化器内視鏡ハンドブック．改訂第 2 版，日本メディカルセンター　2017 より引用改変〕

Ⅰ．診断的内視鏡
・色素法
12）色素内視鏡は，色素を用い臓器表面の微細構造をより鮮明に描出することなどを目的とした手技で，最も広く行われているものに色素散布法 dye spraying method がある．色素散布法は陥凹部での色素液の貯留，上皮の産生する物質との化学反応ないし粘膜上皮による吸収など種々の機序を主に利用しており，生体染色 vital staining のみではない．特殊な手技として病変部の境界，ポリペクトミー施行部位などの標識に用いられる（粘膜下）点墨法（submucosal）tattooing などもある．
・医用画像診断支援システム
13）近年，AI による画像解析により，内視鏡を含めた自動診断技術が開発されてきている．コンピューターが病変の候補部位の検出を支援するシステムを Computer-Aided Detection（CADe），病変の候補部位に関する質的診断を支援するシステムを Computer-Aided Diagnosis（CADx）という．

4. ファイバースコピー **fiberoptic endoscopy, fiberscopy**
5. 電子内視鏡 **electronic endoscopy**
6. 拡大内視鏡 **magnifying endoscopy**
拡大腹腔鏡 magnifying laparoscopy
7. 顕微内視鏡[14] **microscopic endoscopy, endomicroscopy**
光学式 optical method
共焦点式 confocal method
8. 内視鏡下造影法 **endoscopic opacification**
内視鏡的逆行性胆管膵管造影[15] endoscopic retrograde cholangiopancreatography (ERCP)[16]

I．診断的内視鏡

・顕微内視鏡

14) 顕微内視鏡（microscopic endoscopy）は，現在は，超拡大内視鏡（super-magnifying endoscopy）と同義語とされている．

・内視鏡的逆行性胆管膵管造影

15) 内視鏡的に胆管・膵管あるいは両者の造影を行う方法を endoscopic retrograde cholangiopancreatography（ERCP）といい，得られた像をそれぞれ胆管像 cholangiogram，膵管像 pancreatogram と呼ぶ．

・endoscopic retrograde cholangiopancreatography（ERCP）

16) 膵管と胆管を造影する検査法としての一般的な呼称は「内視鏡的逆行性膵胆管造影法 endoscopic retrograde cholangiopancreatography（ERCP）」である．ERCP は初め大井らが“endoscopic pancreatocholangiography（EPCG）”と呼んで手技を報告したが，現在は「ERCP」という表現が世界的に慣用されている．なお，ERCP の和名は日本消化器病学会の用語集では「内視鏡的逆行性膵胆管造影法」または「内視鏡的逆行性胆道膵管造影」，日本内科学会の「内科学用語集．第 5 版」（医学書院，1998）および日本医学会医学用語管理委員会（編）「日本医学会医学用語辞典：英和．第 3 版」（南山堂，2007）では「内視鏡的逆行性胆道膵管造影法」となっている．

8. 内視鏡的逆行性胆管膵管造影（つづき）

バルーン内視鏡を用いたERCP[17]	balloon enteroscopy（*or* endoscopy）assisted ERCP, ERCP using balloon enteroscopy（*or* endoscopy）

Ⅱ. 超音波内視鏡検査[1]　endoscopic ultrasonography（EUS）, endosonography

1. 操作方法　scanning method

脱気水充満法[2]	deaerated water filling method, water repletion method
バルーン（接触）法	balloon contact method
脱気水持続送水法	continuous deaerated water infusion method
ゼリー充満法	jelly-filling method

2. 超音波内視鏡診断的手技　diagnostic procedure of EUS

超音波内視鏡画像診断	imaging diagnosis of EUS
カラードプラ法	colour Doppler
造影超音波法	contrast-enhanced EUS
エラストグラフィー	elastography
診断目的の採取	diagnostic sampling
超音波内視鏡下穿刺吸引法, 超音波内視鏡下穿刺吸引生検法[3]	endoscopic ultrasound-guided fine needle aspiration（EUS-FNA）, endoscopic ultrasonography-guided fine needle aspiration, endosonography-guided fine needle aspiration
針生検	needle biopsy
胆汁吸引	bile juice aspiration
膵液吸引	pancreatic juice aspiration

3. 超音波内視鏡治療的手技　therapeutic procedure of EUS

嚢胞吸引術	cyst aspiration
ステント留置術	stent placement

Ⅰ．診断的内視鏡

・バルーン内視鏡を用いたERCP

17）近年，術後再建腸管症例などに対するERCPに際してバルーン内視鏡が用いられるようになった．これまでの発表や論文では，ERCP using balloon enteroscopy（endoscopy）あるいはballoon enteroscopy（endoscopy）assisted ERCPと表現されていることが多い．この手技について新たな呼称を付与することの是非，また用語案について討議されたが合意に至らなかった．今後は，世界消化器内視鏡学会用語委員会と共同で，これらにおける正式用語の採用について議論していく予定である．

なお，サウスカロライナ医科大学のPeter Cotton教授および元世界消化器内視鏡学会用語委員会委員長のLars Aabakken教授によれば，小腸鏡を用いたERCPは，シングルバルーンもダブルバルーンも同じで，enteroscopy assisted ERCP（EA-ERCP）もしくはdevice-assisted enteroscopy ERCP（DAE-ERCP）として分類され，今後のspiral deviceも含めて，同じカテゴリーで扱われるのが妥当ではないかという意見もある．

そのため，以下に用語例を示すが，本改訂では正式な用語としては採用しない．

バルーン内視鏡下ERCP

balloon enteroscopy（endoscopy）assisted ERCP（BE-ERCP, BEERCP）

ダブルバルーン内視鏡下ERCP

double-balloon enteroscopy（endoscopy）assisted ERCP（DBE-ERCP, DBERCP）

シングルバルーン内視鏡下ERCP

single-balloon enteroscopy（endoscopy）assisted ERCP（SBE-ERCP, SBERCP）

Ⅱ．超音波内視鏡検査

1）超音波内視鏡とは内視鏡下に行われる超音波画像診断法および超音波ガイド下の治療法を意味する．endoscopic ultrasonographyという用語は長いので，endosonography，あるいはEUSと略称される．

・脱気水充満法

2）超音波医学会用語では胃充満法liquid-filled stomach methodという語が載っているが，最近超音波内視鏡の行われる範囲は胃以外のsegmentにも及んでいるため，他のsegmentにも適用でき，一般的に用いられている脱気水充満法という語をここに取りあげた．

・超音波内視鏡下穿刺吸引法，超音波内視鏡下穿刺吸引生検法

3）保険収載名としては，「超音波内視鏡下穿刺吸引生検法」になっているが，通例は医学中央雑誌での検索でも「超音波内視鏡下穿刺吸引法」となっているため，これを併記した．

3. 超音波内視鏡治療的手技（つづき）

ボツリヌス菌毒素注入術[4)]	botulinum toxin（Botox®）injection
超音波内視鏡下腹腔神経叢融解術[5)]	endoscopic ultrasound-guided celiac plexus neurolysis (EUS-CPN), endoscopic ultrasonography-guided celiac plexus neurolysis, endosonography-guided celiac plexus neurolysis
超音波内視鏡下腹腔神経節融解術	endoscopic ultrasound-guided celiac ganglia neurolysis（EUS-CGN）, endoscopic ultrasonography-guided celiac ganglia neurolysis, endosonographic-guided celiac ganglia neurolysis
超音波内視鏡下膵仮性嚢胞ドレナージ[6)]	endoscopic ultrasound-guided pancreatic pseudocyst drainage, endoscopic ultrasonography-guided pancreatic pseudocyst drainage, endosonographic-guided pancreatic pseudocyst drainage

Ⅱ．超音波内視鏡検査

・ボツリヌス菌毒素注入術

4）アカラシアの平滑筋の攣縮を抑えるために下部食道括約筋部の筋層にボツリヌス菌毒素を注入する手技をさす．

・超音波内視鏡下腹腔神経叢融解術

5）消化器癌による疼痛を管理するために，超音波内視鏡下でエタノールを注入し腹腔神経叢を融解する手技をさす．現在では，慢性膵炎による上腹部痛のコントロールのためにステロイドを注入する，腹腔神経叢ブロック celiac plexus block（CPB）も行われており，総称として腹腔神経叢注入術 celiac plexus injection（CPI）という用語も使われている．

・超音波内視鏡下膵仮性嚢胞ドレナージ

6）元来，本手技は，膵仮性嚢胞もしくは仮性嚢胞様に見える嚢胞性病変に対するドレナージであったが，アトランタ分類（各論 P143 より引用）の登場により，pancreatic fluid collection という概念のなかに pancreatic pseudocyst と walled-off necrosis（WON）が含まれるようになった．しかしながら，実臨床では，これらの明確な区別は難しいことも少なくない．

3. 超音波内視鏡治療的手技（つづき）

超音波内視鏡下胆道ドレナージ[7]	endoscopic ultrasound-guided biliary drainage（EUS-BD）, endoscopic ultrasonography-guided biliary drainage, endosonography-guided biliary drainage

・超音波内視鏡下胆道ドレナージ

7）現在，超音波内視鏡下瘻孔形成術の一連の手技として，EUS-guided biliary drainage（EUS-BD），EUS-guided choledochoduodenostomy（EUS-CDS），EUS-guided hepaticogastrostomy（EUS-HGS），EUS-guided gallbladder drainage（EUS-GBD），endoscopic necrosectomy（EN），EUS-guided pancreatic drainage（EUS-PD），EUS-guided rendezvous（EUS-RV）procedure/technique/method，EUS-guided antegrade treatment（EUS-AG）などが報告されている．アプローチ方法としては**図 18** のように，①胃から肝内胆管を穿刺するルート，②十二指腸から肝外胆管を穿刺するルート，③胃から膵管を穿刺するルートなどが主なものである．

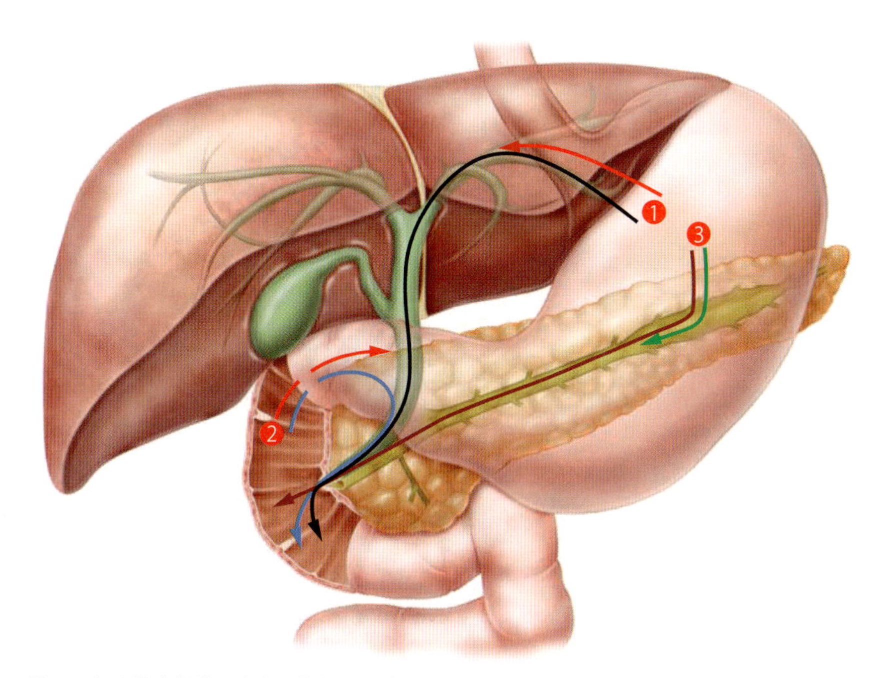

図 18　超音波内視鏡下瘻孔形成術のアプローチ・ルート（膵嚢胞ドレナージは除く）

〔Perez-Miranda M, de la Serna C, Diez-Redondo P, et al：Endosonography-guided cholangiopancreatography as a salvage drainage procedure for obstructed biliary and pancreatic ducts. World J Gastrointest Endosc 2：212-222, 2010 Figure 1 より引用改変〕

Ⅲ. 内視鏡治療　endoscopic treatment, endotherapy

治療内視鏡　therapeutic endoscopy

1. 治療内視鏡に関する基本用語　general terms for therapeutic endoscopy

摘出[1]	extraction
回収	retrieval
除去	removal
砕石[2]	lithotripsy
切除[3]	resection
焼灼	cauterization
切開	incision
切断	cutting, -tomy
切離	dissection
剝離	dissection, -lysis
拡張	dilation, dilatation
留置拡張	placement
ステント挿入術	stent deployment, stenting
カニュレーション	cannulation
挿管	intubation
ドレナージ	drainage
ネクロセクトミー	necrosectomy
止血	hemostasis
マーキング法	marking
クリップ法	clipping
点墨法	tattooing
整復[4]	repositioning, reduction, detorsion
注射	injection
結紮	ligation
再建	reconstruction
洗浄	irrigation
縫合	suture
吻合	anastomosis

2. 治療内視鏡各論　specific terms for therapeutic endoscopy

挿管（法）	cannulation
カテーテル挿入（法）	catheterization

Ⅲ. 内視鏡治療

・摘出

1）異物 foreign body，胃石 bezoar などは内視鏡的にバスケット鉗子 basket forceps，把持鉗子 grasping forceps などを用いて摘出可能である.

・砕石

2）lithotripsy には機械的砕石 mechanical lithotripsy，電気水圧砕石 electrohydraulic lithotripsy，体外衝撃波結石破砕 extracorporeal shock wave lithotriptsy が主に用いられるが，マイクロウェーブ，超音波，レーザーなども砕石手段に用いられる．破砕された結石の摘出にバスケット鉗子，バルーンカテーテル balloon catheter などを用いることもある.

・切除

3）「大腸癌取扱い規約．第 7 版補訂版」（金原出版，2009）では摘除という語を用いている.

・整復

4）S 状結腸捻転（sigmoid volvulus）に対して内視鏡的整復（endoscopic detorsion）が施行されることが多い.

2. 治療内視鏡各論（つづき）

乳頭処置	ampullary intervention, papillary intervention
内視鏡的乳頭括約筋切開術，乳頭切開術[5]	endoscopic sphincterotomy（*or* papillotomy）
内視鏡的膵管口切開術	endoscopic pancreatic sphincterotomy（EPST）
プレカット，プレカッティング[6]	precut, pre-cut (papillotomy), precutting
内視鏡的乳頭バルーン拡張術	endoscopic papillary balloon dilation（EPBD）
内視鏡的乳頭大口径バルーン拡張術，内視鏡的ラージバルーン拡張術[7]	endoscopic papillary large balloon dilation（EPLBD）
結石治療	stone treatment
内視鏡的結石除去術	endoscopic stone removal, endoscopic stone extraction, lithotomy
ドレナージ	drainage
内視鏡的胆管ドレナージ[8]	endoscopic biliary drainage（EBD）
内視鏡的経鼻胆管ドレナージ	endoscopic nasobiliary drainage（ENBD）
内視鏡的胆管ステント留置術[9]	endoscopic biliary stenting（EBS）
内視鏡的膵管ドレナージ[10]	endoscopic drainage of pancreatic duct
内視鏡的経鼻膵管ドレナージ	endoscopic nasopancreatic drainage（ENPD）
内視鏡的膵管ステント留置術	endoscopic pancreatic stenting
止血	hemostasis
止血剤散布法	spraying of hemostyptics
クリップ法	clipping
薬剤局注止血法[11]	injection therapy
電気凝固止血法	electrocoagulation
アルゴンプラズマ凝固止血法	argon plasma coagulation（APC）
光凝固止血法（レーザー照射法）	photocoagulation（laser coagulation）
ヒータープローブ止血法	heater probe coagulation

Ⅲ．内視鏡治療

・内視鏡的乳頭括約筋切開術，乳頭切開術

5）同義語として用いられ，endoscopic sphincterotomy（EST），endoscopic papillotomy（EPT）などと略されている．
本法は乳頭部狭窄の解除，総胆管結石の摘出，急性化膿性胆管炎の胆汁ドレナージおよびプロテーゼを目的に行われる．なお，結石の摘出は乳頭切開を要する場合（with sphincterotomy）と切開せずに（without sphincterotomy）可能な場合がある．

・プレカット，プレカッティング

6）プレカットの方法には，needle knife precut sphincterotomy，fistulotomy（infundibulotomy），needle knife precut sphincterotomy over pancreatic stent，transpancreatic sphincterotomy などがある．

・内視鏡的乳頭大口径バルーン拡張術，内視鏡的ラージバルーン拡張術

7）EPLBD 前の EST 付加の有無で，EPLBD with EST と EPLBD without EST に分けられる場合がある．

・内視鏡的胆管ドレナージ

8）内視鏡的胆管ドレナージの総称であり，外瘻である内視鏡的経鼻胆管ドレナージと内瘻である内視鏡的胆管ステント留置術を含む．

・内視鏡的胆管ステント留置術

9）主として胆管悪性狭窄の治療に用いられ，ステントを挿入留置する．我が国ではしばしば ERBD（endoscopic retrograde biliary drainage）という語が用いられるが，ドレナージの方向は逆行性ではなく，retrograde drainage は不適当な表現である．

・内視鏡的膵管ドレナージ

10）内視鏡的膵管ドレナージは，外瘻である endoscopic nasal pancreatic drainage（ENPD）と，内瘻である endoscopic pancreatic stenting（EPS）に大別される．

・薬剤局注止血法

11）純エタノール absolute ethanol，高張食塩水 hypertonic saline など種々の物質が用いられる．食道静脈瘤からの出血に対しては硬化剤 sclerosing agent，sclerosant が使われる．

止血（つづき）	
マイクロウェーブ止血法	microwave coagulation
食道・胃静脈瘤に対する治療法	treatment for esophageal, gastric or esophagogastric(esophago-gastric) varices
内視鏡的硬化療法	endoscopic injection sclerotherapy (EIS)[12]
内視鏡的静脈瘤結紮術	endoscopic variceal ligation（EVL）
腫瘍に対する治療	treatment for tumor
ポリープ切除術[13]	polypectomy
コールド・ポリペクトミー	cold polypectomy
コールド・フォーセプス・ポリペクトミー	cold forceps polypectomy
コールド・スネア・ポリペクトミー[14]	cold snare polypectomy
内視鏡的粘膜切除術[15]	endoscopic mucosal resection（EMR）
プレカッティングEMR[16]	precutting EMR
分割EMR	piecemeal EMR
EMR-C	EMR using a cap-fitted endoscope
EMR-L, ESMR-L	EMR with a ligation device, endoscopic submucosal resection with a ligation device
浸水下内視鏡的粘膜切除術[17]	underwater endoscopic mucosal resection（UEMR）
ゲルイマージョン内視鏡的粘膜切除術[17]	gel immersion endoscopic mucosal resection（GIEMR）
内視鏡的粘膜下層剝離術[18]	endoscopic submucosal dissection(ESD)

Ⅲ．内視鏡治療

・endoscopic injection sclerotherapy（EIS）

12）EIS（endoscopic injection sclerotherapy），EVS（endoscopic variceal sclerotherapy）などの略語が使われている．endoscopic injection sclerotherapy には静脈瘤内注入法 intravariceal injection，傍静脈瘤注入法 paravariceal injection および両者を組み合わせた静脈瘤内外併用注入法 combined，intra- and paravariceal injection の3つの術式があり，使用する硬化剤も種々である．

・ポリープ切除術

13）スネア snare あるいは鉗子（フォーセプス forceps）を用いて病変を摘除する手技の総称．従来は高周波電流を用いる方法が主流であったが，近年，通電をしないコールド・ポリペクトミー cold polypectomy が開発され普及しつつある．スネアで絞扼する前に，粘膜下層への局注を伴う手技は内視鏡的粘膜切除術と称されるが，広義にはポリープ切除術の一手技として用いることもある．また，切除した病変を回収する必要性が相対的に低い場合においては，クリップや留置スネアを用いて血流を遮断することで虚血に陥らせて壊死脱落させる ischemic polypectomy が選択される場合もある．

・コールド・スネア・ポリペクトミー

14）cold snare polypectomy に対して，通電を伴う従来のポリペクトミーを hot snare polypectomy と呼ぶことがある．

・内視鏡的粘膜切除術

15）病変底部粘膜下層内に生理的食塩水などをあらかじめ注入し，腫瘍を含む人工的な隆起を作り，スネアを用いて病変の基部を絞扼し，通常は高周波電流を通電して切断する術式．ストリップ・バイオプシー strip biopsy と呼称されたこともある．水中や gel 中でスネアリングして局注せずに切除する underwater EMR や，undergel EMR（gel immersion EMR）では，生理食塩水などを注入しなくても粘膜をスネアで把持することができるため，注入の有無は問わない．

・プレカッティング EMR

16）「プレカッティング EMR」は，ESD 専用ナイフあるいはスネア先端を用いて病変周囲を切開した後，粘膜下層の剥離をまったく行わずにスネアリングを施行する手技と定義されている．

・浸水下内視鏡的粘膜切除術 / ゲルイマージョン内視鏡的粘膜切除術

17）生理食塩水などを注入しなくても粘膜をスネアで把持することができるため，注入の有無は問わない．単なる EMR とは別の手技としての “underwater EMR” という1つの固有の単語として，局注を必要としない．

・内視鏡的粘膜下層剥離術

18）粘膜病変の一括切除を目的として直視下に各種の器具で粘膜下層を剥離していく術式である．

内視鏡的粘膜下層剥離術（つづき）	
ハイブリッドESD[19]	hybrid ESD
浸水下内視鏡的粘膜下層剥離術	underwater endoscopic submucosal dissection（UESD）
ゲルイマージョン内視鏡的粘膜下層剥離術	gel immersion endoscopic submucosal dissection（GIESD）
内視鏡的乳頭切除術	endoscopic papillectomy
経口内視鏡的筋層切開術[20]	per-oral endoscopic myotomy（POEM）
焼灼	cauterization
電気凝固	electrocoagulation, diathermy
レーザー凝固	laser ablation
レーザー治療[21]	laser therapy
光線力学的治療[22]	photodynamic therapy
レーザー温熱療法	laserthermia
ヒータープローブ法	heater probe therapy
マイクロウェーブ法	microwave coagulation
アルゴンプラズマ凝固法	argon plasma coagulation therapy（APC）
ラジオ波焼灼療法	radiofrequency ablation（RFA）
凍結療法	cryotherapy
局注療法[23]	injection therapy
拡張	dilation, dilatation
ブジー拡張[24]	bougienage
バルーン拡張	balloon dilation, balloon dilatation
ステント挿入術	stent deployment, stenting
経皮内視鏡的胃瘻造設術[25]	percutaneous endoscopic gastrostomy（PEG）
経肛門的イレウス管挿入術	transanal endoscopic tube decompression, endoscopic retrograde transanal drainage
内視鏡的大腸ステント挿入術	endoscopic colorectal stenting
経肛門的内視鏡下マイクロサージェリー	transanal endoscopic microsurgery（TEM）
治療腹腔鏡	therapeutic laparoscopy
腹腔鏡下手術	laparoscopic surgery

Ⅲ．内視鏡治療

・ハイブリッドESD

19）「ハイブリッドESD」は，ESD専用ナイフあるいはスネア先端を用いて病変周囲を切開した後，粘膜下層の剝離操作を行い，最終的にスネアリングを施行する手技と定義されている．

・経口内視鏡的筋層切開術

20）全身麻酔下にCO_2送気を用い，内視鏡的粘膜下層剝離術（ESD）と同様の手技で内視鏡を粘膜下層へ挿入する．胃側まで粘膜下トンネル筋層を露出するように作成し，食道側から胃側まで内輪筋層を外縦筋が露出するまで切開することにより接合部の狭窄を解除する．

・レーザー治療

21）レーザー照射による組織破壊を期待した方法である．

・光線力学的治療

22）腫瘍親和性のある光感受性物質を投与した後，腫瘍組織にレーザー光を照射することにより光化学反応を引き起こし，腫瘍組織を変性壊死させる局所的治療法である．

・局注療法

23）局注療法は止血や消化管の狭窄予防に用いられている．

・ブジー拡張

24）良・悪性疾患のいずれに対しても行われる．とくにbougieを用いた拡張術をbougienageという．

・経皮内視鏡的胃瘻造設術

25）胃瘻を介して空腸に栄養チューブを留置する方法percutaneous endoscopic transgastric jejunostomy（PEG-J）や，直接空腸に栄養チューブを留置する方法direct percutaneous endoscopic jejunostomy（D-PEJ），PEGが困難な症例に内視鏡を使用せずに頸部食道から胃管を留置する経皮経食道胃管挿入術percutaneous transesophageal gastrotubing（PTEG）などが開発されている．

2. 治療内視鏡各論（つづき）

腹腔鏡併用下手術	laparoscopy-assisted surgery
迷走神経切離（切断）術（幹迷切）	truncal vagotomy
選択的迷走神経切離（切断）術（選迷切）	selective vagotomy
食道切除術	esophagectomy
食道裂孔修復術	fundoplication
胃切除術	gastrectomy
虫垂切除術	appendectomy
総胆管切開術	common bile duct exploration
肝嚢胞切開術（造窓術）	deroofing of liver cyst
胆嚢摘出術	cholecystectomy
術中胆管造影	intraoperative cholangiography
術中胆管鏡	intraoperative choledochoscopy
結腸切除術	colectomy
ヘルニア修復術	hernioplasty, herniorrhaphy
大網固定術	omentopexy
癒着剝離	adhesiolysis
脾摘術	splenectomy
肝部分切除術	partial hepatectomy
婦人科的手術	gynecological surgery
泌尿器科的手術	urological surgery
縦隔鏡下手術	mediastinoscopic surgery
胸腔鏡下手術	thoracoscopic surgery
経管腔的内視鏡手術[26]	natural orifice translumenal endoscopic surgery（NOTES）
腹腔鏡内視鏡合同手術[27]	laparoscopy and endoscopy cooperative surgery（LECS）

Ⅳ．内視鏡器具　endoscope and device

1. 内視鏡　endoscope

前方視，直視	forward-viewing
側視	side-viewing
斜視	oblique-viewing

・経管腔的内視鏡手術

26）内視鏡を自然孔（口，肛門，膣など）から挿入後，管腔を介して体腔内に到達し，体表面を切開することなく診断・処置を行う手技．

・腹腔鏡内視鏡合同手術

27）内視鏡治療と腹腔鏡手術を同時に行うことで，必要最小限の侵襲で腫瘍切除を可能とする新しい手術方法．胃粘膜下腫瘍をはじめとした疾患において，試験的に行われている．

1. 内視鏡（つづき）

硬性鏡	rigid endoscope
軟性鏡	flexible endoscope
胃カメラ[1)]	gastrocamera
ファイバースコープ	fiberoptic endoscope
電子スコープ[2)]	electronic endoscope
経鼻（細径）内視鏡	transnasal（small-caliber）endoscope
拡大（内視）鏡[3)]	magnifying endoscope
処置用内視鏡	therapeutic endoscope
2チャンネル内視鏡	double-channel endoscope
マルチベンディング・スコープ	multi-bending scope
自家蛍光内視鏡	autofluorescence endoscope
赤外内視鏡	infrared endoscope
立体内視鏡（計測用内視鏡）	three-dimensional endoscope, stereoscopic endoscope
上部消化管内視鏡	esophagogastroduodenoscope, upper gastrointestinal endoscope
パンエンドスコープ[4)]	（panendoscope）
食道（内視）鏡[5)]	esophagoscope
胃（内視）鏡	gastroscope
胃カメラ[1)]	gastrocamera
十二指腸（内視）鏡	duodenoscope
小腸（内視）鏡[6)]	enteroscope
デバイス小腸内視鏡	device assisted enteroscope（DAE）
スパイラル小腸内視鏡	spiral enteroscope（SE）
電動スパイラル小腸内視鏡	motorized spiral enteroscope
バルーン内視鏡	balloon assisted endoscope（BAE）
先端バルーン付き内視鏡	balloon-attached endoscope
スコープ先端バルーン	balloon at the endoscope tip
ダブルバルーン内視鏡	double-balloon endoscope（DBE）
ショート・ダブルバルーン内視鏡	short double-balloon endoscope（short DBE）
シングルバルーン内視鏡	single-balloon endoscope（SBE）
ショート・シングルバルーン内視鏡	short single-balloon endoscope（short SBE）

Ⅳ．内視鏡器具

・胃カメラ

1）上部消化管内視鏡の意味で，非医療従事者の間だけでなく医師の間でも，胃カメラという用語が安易に使われているが，本来胃カメラとは，胃内に挿入された器械の先端部分にフィルムの入ったパトローネを含むミニカメラが設置されており，ひとコマひとコマフィルムを巻き上げながらフラッシュを焚いて粘膜面の像を撮影した，宇治らによって発明され崎田らによって実用化された器械をさす．

・電子スコープ

2）スコープの先端に固体撮像素子 CCD（Charge-coupled device）もしくは CMOS（Complementary metal oxide semiconductor）を内蔵した内視鏡で，画像を電気信号として取り出し，電気的処理により得られたモニターテレビ上の映像を観察するシステムである．カラー撮像方式には，画順次方式 sequential color illumination method と同時方式 color chip method がある．画像が電気信号化されたことから，電子的保管技術が実用化されたほか，最近はさまざまな画像強調が可能になり，NBI（narrow band imaging）などはその一例で，従来の白色光観察による情報を超える診断情報が得られている．

・拡大（内視）鏡

3）内視鏡のレンズの観察倍率を上げるタイプのもののほかに，細胞レベルの観察が可能な endocytoscope や内視鏡処置用チャンネルを通して laser confocal microscope による超高倍率の観察を可能にした器械も登場している．

・パンエンドスコープ

4）panendoscope という英語は消化器領域では一般的ではないようである．膀胱鏡で膀胱および尿道が観察できる広視野角のものを panendoscope という．

・食道（内視）鏡

5）硬性食道鏡を rigid esophagoscope，軟性鏡を flexible esophagoscope という．

・小腸（内視）鏡

6）経口小腸鏡には，プッシュ式，ゾンデ式，ロープウェイ法などもある．

1. 内視鏡（つづき）

カプセル内視鏡	capsule endoscope
大腸内視鏡	colonoscope
S 状結腸鏡	sigmoidoscope
直腸鏡	proctoscope
胆道鏡，胆管鏡[7]	cholangioscope, choledochoscope
膵管鏡	pancreatoscope
腹腔鏡	laparoscope

2. 超音波内視鏡機器　EUS Equipment

メカニカル・ラジアル・スコープ（機械式ラジアル型スコープ）	mechanical radial echoendoscope
電子式ラジアル型スコープ	electronic radial echoendoscope
電子（式）コンベックス（型）スコープ	curvilinear array echoendoscope, curved linear array echoendoscope
電子（式）リニア（型）スコープ	electric linear echoendoscope
軟性プローブ	flexible blind ultrasound probe
直腸用硬性プローブ	rectal rigid blind ultrasound probe
ラジアル超音波プローブ	radial ultrasound probe
リネア超音波プローブ	linear ultrasound probe
3 次元超音波プローブ[8]	three-dimensional ultrasound probe

3. 内視鏡処置用器具　endoscopic device

高周波発生装置	high frequency electrosurgical unit
高周波ナイフ	electrosurgical knife
ヒータープローブ装置	heater probe unit
レーザー発生装置	laser generator
マイクロウェーブ凝固装置	microwave coagulator
アルゴンプラズマ凝固装置	argon plasma coagulator
鉗子	forceps
生検鉗子	biopsy forceps
バスケット鉗子，バスケット・カテーテル	basket forceps, basket catheter
バルーン・カテーテル	balloon catheter
把持鉗子	grasper
止血鉗子	hemostatic forceps

Ⅳ．内視鏡器具

・胆道鏡，胆管鏡

7）胆道鏡は進入するルートによりまったくその機種が異なる．経乳頭的アプローチによる胆道鏡は経口胆道鏡 peroral cholangioscope と呼ばれ，親スコープ mother scope と子スコープ baby scope よりなる方法が一般的である．一方，経皮経肝的に用いる胆道鏡は，経皮経肝胆道鏡 percutaneous transhepatic cholangioscope と呼ばれている．経皮経肝的に胆嚢に胆道鏡を挿入する場合，機種は同じであるが経皮経肝胆嚢鏡 percutaneous transhepatic cholecystoscope と呼ぶことがある．

・3 次元超音波プローブ

8）これらのプローブは，消化管において使用される場合と，ガイドワイヤーを用いるなどして，経乳頭的に胆管および膵管内に挿入して行う（intraductal ultrasound；IDUS）場合がある．

3. 内視鏡処置用器具（つづき）

スネア	snare
留置スネア	detachable snare
回収ネット	net retriever
対極板	indifferent plate, patient plate
クリップ	clip
再留置可能なクリップ	reopenable clip
ステープル	staple
内視鏡用局注針	endoscopic injection needle
スライディング・チューブ	splinting tube, stiffening tube
オーバーチューブ	overtube
バルーン付きオーバーチューブ	balloon-attached overtube
洗浄用チューブ	lavage tube, irrigation tube
散布用チューブ	sprayer
吸引用チューブ	aspiration tube
パピロトーム，スフィンクテロトーム[9]	papillotome, sphincterotome
ステント[10]	stent
プラスチックステント	plastic stent
straight 型	straight type
pig tail 型	pigtail type
金属ステント	self-expandable metal stent
フルカバー金属ステント	fully-covered self-expandable metal stent
パーシャルカバー金属ステント	partially-covered self-expandable metal stent
アンカバー金属ステント	uncovered self-expandable metal stent
カニューレ（カニューラ）[11]	cannula
プロステーゼ	prosthesis
拡張バルーン	dilation balloon
結石除去用バルーン	retrieval balloon catheter
砕石具[12]	lithotriptor
機械的砕石器	mechanical lithotriptor
電気水圧砕石器	electrohydraulic lithotriptor（EHL）

Ⅳ．内視鏡器具

・パピロトーム，スフィンクテロトーム

9）同義語として用いられるパピロトームには Classen 型（Erlangen papillotome），相馬型（Sohma papillotome），ふかひれ型（shark fin papillotome），針状（needle-type papillotome）などがある．papillotomy knife という語は不適当である．

・ステント

10）ステントは主に狭窄を内視鏡的に解除して維持するものである．消化管狭窄に用いられるものと胆管あるいは膵管狭窄に用いられるものがある．胆管狭窄に対して，主として黄疸の内視鏡的減黄術に用いられる．プラスチックステント plastic stent と金属ステント self-expandable metal stent が使われている．

・カニューレ（カニューラ）

11）病変部に留置して液の導出や薬剤の注入に用いる套管．

・砕石具

12）結石破砕に用いられる器具を lithotriptor という．その種類として機械的砕石器 mechanical lithotriptor，電気水圧砕石器 electrohydraulic lithotriptor（EHL），レーザー砕石器 laser lithotriptor などがある．破砕された結石の摘出にバスケット鉗子，バルーンカテーテル balloon catheter などを用いることもある．

砕石具（つづき）	
レーザー砕石器	laser lithotriptor
経肛門的イレウスチューブ， 　経肛門的減圧チューブ	transanal decompression tube

4. 体腔鏡（腹腔鏡，胸腔鏡）下手術に用いる器具　devices for laparoscopic, thoracoscopic surgery

送気装置[13]	insufflation device
気腹器	insufflator
気腹針	insufflation needle, Veress needle[14]
トロッカー（トロカー）[15]	trocar
ハッソン・カニューレ[16]	Hasson's cannula
腹腔鏡下腸管手術用 　カニューレ[17]	laparoscopic bowel surgery cannula
腸管把持鉗子[18]	bowel grasper
肺把持鉗子[19]	lung grasper
剥離鉗子[20]	dissector
洗浄吸引装置	irrigation and aspiration device
結紮器[21]	tying device, ligation device
内視鏡的吻合器[22]	endoscopic surgical stapler
鉤	retractor

Ⅳ．内視鏡器具

・送気装置

13）二酸化炭素ガス CO_2 gas を注入し，気腹 pneumoperitoneum する器具で気腹器とも呼称される．一般に腹腔内圧はガス流量で自動的に調節される．

・insufflation needle, Veress needle

14）考案者の名前をとって名づけられている．

・トロッカー（トロカー）

15）腹腔鏡，胸腔鏡，鉗子類挿入用の門 port として用いる筒状の套管．

・ハッソン・カニューレ

16）癒着などで気腹針の盲目的穿刺が危険と考えられ開腹した場合に用いるもので，用途はトロッカーに同じ．ガス漏れ，自然逸脱を予防するための工夫がなされている套管．

・腹腔鏡下腸管手術用カニューレ

17）切除された腸管などを引き出すための套管で，30，40，50mm の太径のものがある．

・腸管把持鉗子

18）腸管損傷を予防するための工夫がなされた把持鉗子．

・肺把持鉗子

19）肺組織損傷を予防するための工夫がなされた把持鉗子．

・剥離鉗子

20）先端の形状，用途により各種の名称（curved，straight または sharp，blunt）がある．

・結紮器

21）あらかじめ作られた結び目をもつ糸（Roeder loop）の結び目を押しやることにより，結紮が完了する結び目送り器 knot pusher もその 1 つ．

・内視鏡的吻合器

22）腸管の自動吻合，消化管や肺切除に用いられる自動切離器でもある．

和文索引

【あ】

アカラシア　83
亜区域性病変，膵の　142
悪性黒色腫　120
悪性リンパ腫
　――，胃　98
　――，小腸　104
　――，大腸　116
　――，脾　159
圧痕　48
　――，肝　28
厚い粘膜　54
厚さ，粘膜の　54
圧縮性の　71
圧排　48
　――，食道の　80
圧排・圧迫　66
　――された壁および体腔形態　66
　――された主膵管　134
　――された胆道　128
圧迫　48
　――，食道の　80
　――された胆道　128
アデノミオマトーシス（腺筋腫症）　124
アトニー　50
アフタ　64，66
　――，小腸　106
アフタ様潰瘍
　――，小腸　106
　――，大腸の　120
亜有茎性　59
アルゴンプラズマ凝固止血法　178
アルゴンプラズマ凝固装置　188
アルゴンプラズマ凝固法　182
アンカバー金属ステント　190
鞍部，小腸の　108

【い】

胃　6，24，36，92，154
　――の血管　24
胃圧痕，肝　28
胃液　52，69
胃横隔膜靱帯　24
胃潰瘍　98
胃角　6，38
胃カメラ　186
胃癌　94
胃癌取扱い規約 第15版　7，95，97
胃癌の肉眼型分類　97
胃空腸吻合　100
胃憩室　92
異形成，大腸　120
胃結腸靱帯　24
遺残結石，胆嚢　130
遺残胆嚢管，術後　132
胃軸捻転　92
胃十二指腸動脈　25，33，38，44
胃十二指腸吻合　100
胃充満法　171
萎縮，肝の　150
萎縮性，十二指腸炎　106
萎縮性胃炎　98
萎縮性粘膜　54
萎縮胆嚢　128
易出血性粘膜　54
胃小区　6
異常な膵管造影像　132

異常（な）胆道造影像　124
胃静脈　25
胃静脈瘤　89，100
胃食道逆流　82
胃食道脱　80
異所性胃粘膜，食道の　90
胃石　53，92，177
胃切除術，腹腔鏡下　184
胃腺腫　94
胃前庭部毛細血管拡張症　100
胃体部　6，36
胃大網静脈　25
胃大網動脈　25
位置異常
　——，肝の　150
　——，体腔臓器の　68
　——，胆嚢／肝外胆管の　154
1型　85，97，117
苺様胆嚢　131
一次小葉，肝　29
一次分枝，膵管　22
位置の異常，小腸，大腸の　156
一葉の萎縮，肝の　150
溢出（遊出）
　——，消化管内容物の　68
　——した消化管内容物　68
胃底腺ポリープ　94
胃底腺領域　9
胃底部　6，7，36
胃動脈　25
胃（内視）鏡　162，186
胃粘膜萎縮　98
胃脾靱帯　32
異物　52，177
胃壁　42
胃壁突出　156
胃ポリープ　94
医用画像診断支援システム　166
色むらのある粘膜　52
陰影欠損
　——，膵管造影の　132
　——，胆道造影像の　124
咽頭　4
咽頭後壁　4
咽頭食道接合部　4
咽頭扁桃　4
陰部大腿神経　34

【う】

ウェブ　48
　——，食道の　80
右肝管　14，17
右肝動脈　44
右結腸曲　10
右後下枝（B6），肝管　16
右後区域，肝　27
右後区域枝，肝管　16
右後上枝（B7），肝管　16
右腎　40
右前下枝（B5），肝管　16
右前区域，肝　27
右前区域枝，肝管　16
右前上枝（B8），肝管　16
右側壁，直腸　12
打ち抜き（様）潰瘍
　——，小腸　108
　——，大腸の　120
うっ血　72
うっ血性　72
うっ血性虫垂　158
うっ血性粘膜　54
右副腎　40
右葉，肝　26
運動異常，括約筋部の　50

【え】

液状内容物，腹膜の　148
エコー・パターン　74
壊死
　——，小腸，大腸の　156

——，胆嚢　154
壊疽性膵炎　160
壊疽性胆嚢炎　124
壊疽性変化，漿膜の　68
エラストグラフィー　170
エルシニア腸炎　122
遠位胆管　18
炎症，漿膜の　68
炎症性疾患
——，胆嚢　154
——，腹膜の　148
炎症性腫大，リンパ節　72
炎症性線維性ポリープ
——，胃の　99
——，小腸の　104
——，大腸の　114
炎症性腸疾患　122
炎症性病変
——，胃の　98
——，胸腔壁の　142
——，胸部食道の　146
——，胸膜の　144
炎症性変化
——，漿膜の　68
——，虫垂の　156
炎症性ポリープ　62
——，小腸　104
——，大腸　114
炎症性ポリポーシス
——，小腸　104
——，大腸　116
円靱帯　160
円柱上皮　3
円柱上皮部，下部食道の　93
円筒形胆道拡張　126

【お】

横隔膜　36，144
横隔膜脚　24，38
横隔膜上憩室　80
横隔膜ヘルニア　142，144
横行結腸　10，44
黄色腫，胃の　98
黄色肉芽腫性胆嚢炎　124
黄色斑　65
凹凸
——のある膵管壁　134
——のある粘膜　54
——の有無，粘膜の　54
大きさの変化
——，肝の　150
——，脾の　158
オーバーチューブ，内視鏡処置用　190
親スコープ　189

【か】

外因性の変形　66
——，食道の　80
外括約筋　44
開口部，十二指腸乳頭　10
回収，内視鏡による　176
回収ネット　190
外傷，漿膜の　68
外傷性横隔膜ヘルニア　145
外傷性狭窄，胆道の　128
外傷性変化，漿膜の　68
外傷を与える，漿膜に　68
外側大腿皮神経　34
外側傍結腸溝　26
開存
——した膵管　134
——した吻合口　66
開大した膵管　134
外胆汁瘻　130，133
回腸　10
回腸炎　106
回腸癌　104，106
外腸骨静脈　35
外腸骨動脈　35
回腸終末部　10，24

回腸嚢　108, 122
回腸嚢炎　106, 122
回腸末端　44
回腸末端部　10, 24
回腸瘻　102, 108
改訂アトランタ分類　143
改訂ロサンゼルス（LA）分類　91
外的な狭窄
——, 小腸の　102
——, 大腸の　110
外鼻孔　2
外分泌腫瘍, 膵　137
外壁
——, 十二指腸　8, 9
——, 十二指腸上行部　40
解剖学的肛門管　13
外膜　2
海綿状血管腫
——, 大腸　120
——, 脾　159
回盲境界部　24
回盲部　24, 44
回盲部到達率（時間）　124
回盲弁　10, 44
潰瘍　59, 66
——, 小腸　106
——, 小腸の術後　108
——, 大腸の　120
潰瘍形成性　59
潰瘍形成性腫瘍　62
潰瘍限局型　85, 97, 117
潰瘍浸潤型　85, 97, 117
潰瘍性狭窄
——, 小腸の　100
——, 大腸の　110
潰瘍性大腸炎　122
潰瘍性病変　64
——, 食道の　90
潰瘍瘢痕　66
——, 小腸　106
下咽頭　4
下咽頭憩室　80
鉤, 体腔鏡下手術用　192
柿胃石　93
可逆性（機能的）狭小化　100
——, 大腸内腔　110
架橋ひだ　54
画順次方式　187
拡大（内視）鏡　168, 186
拡大内視鏡所見, 胃の　94
拡大腹腔鏡　168
拡張
——, 消化管内腔の　48
——, 漿膜の　68
——, 食道の　80
——, 膵管　134
——, 内視鏡による　176, 182
——した漿膜　68
——（した）胆道内腔　126
拡張バルーン, 内視鏡処置用　190
過形成性粘膜　54
過形成性ポリープ
——, 胃　94
——, 小腸　104
——, 大腸　112
下行結腸　10, 44
下行性静脈瘤, 食道の　90
下行大動脈　36, 44
下行部, 十二指腸　8, 9, 40
過誤腫, 小腸　104
過誤腫性ポリープ, 大腸　114
果実胃石　93
下歯肉　2
下十二指腸角　8, 9, 40
下十二指腸曲　8, 9
下唇, 回盲弁　10
化生性胃炎　98
仮声帯　6
仮性嚢胞, 膵　140, 143, 160
画像強調内視鏡　166
家族性大腸腺腫症　116
家族性大腸ポリポーシス　104, 116

下大静脈　42，44
カタル性変化，漿膜の　68
下腸間膜静脈　46
滑脱型食道裂孔ヘルニア　145
滑脱ヘルニア，食道の　80
活動期　67，101
活動性出血　54，57
括約筋部　50
——，食道の　80
——の変化，胆嚢の　130
カテーテル挿入（法），内視鏡による　176
カニューレ（カニューラ），内視鏡処置用　190
カニュレーション，内視鏡による　176
下鼻甲介　2
下鼻道　4
下部，膵　20
下部回腸　10
下部空腸　10
下腹壁動脈　32，33
下部消化管出血　65
下部食道括約筋　80
下部食道括約部の弛緩不全　82
下部食道の円柱上皮部　93
カプセル内視鏡　162，188
下部胆管　16，19，21
下部直腸　12
下壁，十二指腸球部　8，40
下面，十二指腸球部　8，40
カラードプラ法　170
顆粒　58，70，158
——，食道の　82
顆粒型，大腸側方発育型腫瘍　116
顆粒均一型，大腸側方発育型腫瘍　116
顆粒形成性十二指腸炎　107
顆粒細胞腫，食道の　82
顆粒状　58　70
カルチノイド
——，胃　99
——，大腸　120
肝胃間膜　38
肝胃靱帯　24
肝右葉　38，42
肝縁　26
肝円索　30
——のリンパ管　30
陥凹型　97，119
陥凹型病変，大腸の　112
陥凹性病変　64
——，小腸の　106
——，食道の　90
——，胆道の　132
——，脾　158
管外性発育　70
肝外胆管　16，154
肝外胆管癌　154
肝外胆道系　15
肝鎌状間膜　27，30
——のリンパ管　30
肝管　14
がん（癌）　62
肝管合流部　16
肝冠状間膜　30
肝区域　17
管腔臓器　69
管腔内憩室，小腸の　102
肝硬変　101，151
肝細胞索　29
肝細葉　29
肝左葉　38，40
鉗子，内視鏡処置用　188
鉗子生検　164
カンジダ食道炎　91
癌腫　62
——，小腸　104
肝十二指腸靱帯　24
肝床　15
環状狭小化，胆道内腔の　126
管状絨毛腺腫　114
管状腺腫　114
冠状静脈　25

肝静脈　44
肝静脈枝に伴走するリンパ管　30
肝小葉　29
癌性胸膜炎　144
癌性腹膜炎　148
感染性腸炎　122
完全な閉塞，胆道内腔の　126
肝臓　26，150
——の陥凹性病変　152
肝側，胆嚢壁　14
肝動脈　32，38，44
肝動脈系　28
肝動脈枝　28，31
嵌頓
——，漿膜の　68
——した膵石　136
——した胆石　130
嵌頓性漿膜　68
肝内結石　130
管内性発育　70
肝内胆管　14
肝内胆嚢　129
肝嚢胞切開術（造窓術），腹腔鏡下　184
肝尾状葉　38，40
肝被膜および実質性病変　150
肝被膜面　27
肝表面小葉紋理のびまん性変化　152
肝表面の脈管系変化　152
肝部分切除術，腹腔鏡下　184
管壁，膵管の　135
（肝）ペリオーシス　152
間膜　31
肝門部　16，28，42
肝門部胆管　17
肝門部胆管癌　130，131
肝門部領域胆管　15，18
肝門部リンパ管　30
肝葉　26
肝彎曲，結腸　10

【き】

機械式ラジアル型スコープ　188
機械的砕石　177
機械的砕石器　190
機械的損傷，胸部食道の　146
気管　22，36，144
偽陥凹型，大腸側方発育型腫瘍　116
気管支　22，144
気管支拡張症　146
気管分岐下部　36
気管分岐部　36
気管分岐部憩室　80
気胸　144
奇形
——，胸腔壁の　142
——，壁および体腔の　66
偽憩室　48
気腫
——，胸腔壁の　142
——，胸膜の　142
気腫性嚢胞　146
奇静脈　22，36，44
寄生虫　52
寄生虫性肉芽腫，胃の　99
気嚢腫　146
——，腹膜の　148
気腹　193
気腹器，体腔鏡下手術用　192
気腹針，体腔鏡下手術用　192
気泡
——，膵内の　134
——，胆嚢の　130
偽ポリープ　62
偽膜　62，63
偽膜性大腸炎　122
きめ，粘膜の　52
偽メラノーシス　52，121
逆蠕動　50
逆流　50
逆流性食道炎　90
——の分類　91
キャンピロバクター腸炎　122

吸引細胞診　164
吸引生検　164
吸引用チューブ，内視鏡処置用　190
球後部，十二指腸　8
丘状隆起　59，63
求心性狭窄
——，小腸の　102
——，大腸の　110
急性胃炎　98
急性胃拡張　154
急性胃粘膜病変　98
急性胃病変　99
急性壊死性貯留　143
急性潰瘍，胃の　99
急性十二指腸炎　106
急性出血性大腸炎　122
急性出血性直腸潰瘍　122
急性膵炎　141
急性膵周囲液体貯留　143
急性穿孔性虫垂炎　158
急性胆嚢炎　125
急性虫垂炎　158
急性閉塞性化膿性胆管炎　128
球部　9
——，十二指腸　8，40
球部遠位部，十二指腸　40
球部近位部，十二指腸　40
球部頂部，十二指腸　40
球部変形，小腸の　102
偽幽門　92
穹窿部　6
——，胃　36
境界エコー　74
胸管　36
胸腔　22，66，142
胸腔鏡　142，164
胸腔鏡下手術　184
胸腔内病変　144
胸腔壁　142
凝血塊　56，57
強固な癒着　69
狭窄
——，括約筋部の　50
——，消化管内腔の　48
——，小腸内腔の　100
——，食道の　80
——，膵管　134
——，大腸の　110
——した膵管　134
——（した）胆道内腔　126
——を伴った吻合口　66
狭小・狭細化，膵管　134
狭小化
——，消化管内腔の　48
——，小腸内腔の　100
——，大腸内腔の　110
——（した）胆道内腔　126
共焦点式，顕微内視鏡　168
胸水　66，144
共通管（部）　18，19，21，22，42
頬粘膜　2
胸部下部食道　6
胸部上部食道　6
胸部食道　22，146
——の血管　22
胸部中部食道　6
胸壁腫瘍　142
胸壁損傷　142
胸膜　22
——の変化　142
胸膜/胸腔内の変化　142
胸膜炎　144
胸膜腔　36
胸膜腫瘍　144
（胸膜）中皮腫　144
局所性萎縮，肝の　150
局所性隆起，脾の　158
局注療法　182
虚血，小腸，大腸の　156
虚血性大腸炎　122
虚血性病変，小腸，大腸の　156
鋸歯状腺腫，大腸　114

鋸歯状ポリポーシス症候群，大腸　116
巨大結腸　110
巨大な胆石　130
巨大ひだ　54
近位迷走神経枝　24
金属ステント　190，191
緊張
——，壁の　50
——した　71
緊張亢進，壁の　50
緊張低下，壁の　50
緊満度の変化，胆嚢の　154

【く】

区域化，肝表面の　152
区域性病変，膵の　142
空置結腸炎　122
空腸　10
空腸炎　106
空腸癌　104，106
空腸瘻　102，108
屈曲した胆道　128
工藤・鶴田分類　113
クラミジア直腸炎　122
グリコーゲン・アカントーシス　82
クリップ，内視鏡処置用　190
クリップ法　176，178

【け】

経管腔的内視鏡手術　184
経口膵管鏡　164
経口胆道・膵管鏡　165
経口胆道鏡　164，189
経口内視鏡的筋層切開術　182
経肛門的イレウス管挿入術　182
経肛門的イレウスチューブ　192
経肛門的減圧チューブ　192
経肛門的内視鏡下マイクロサージェリー　182
憩室　48，70
憩室炎
——，結腸　110
——，小腸の　102
憩室様総胆管拡張　127
憩室様胆道内腔　126
憩室様突出　127
形状・大きさの変化
——，胃の　154
——，小腸，大腸の　156
形状の変化
——，横隔膜の　144
——，胸腔壁の　142
——，子宮　160
——，虫垂の　156
——，肺，気管，気管支の　144
——，脾の　158
——，卵管の　160
——，卵巣　160
形成不全，壁および体腔の　66
計測用内視鏡　186
形態異常
——，肝の　150
——，胆嚢 / 肝外胆管の　154
頸動脈　36，44
軽度病変，膵の　142
経皮経肝胆道鏡　164，165
経皮経肝胆嚢鏡　189
経皮経肝胆嚢ドレナージ　165
経皮経肝胆嚢内視鏡　164，165
経皮経肝的胆管ドレナージ　133
経皮経食道胃管挿入術　183
経鼻（細径）内視鏡　186
経皮胆道鏡　165
経鼻内視鏡　162
経皮内視鏡的胃瘻造設術　182
頸部
——，膵　20
——，胆嚢　14
頸部食道　6
頸部胆嚢　15

外科的肛門管　13
劇症肝炎　151
下血　112
血液　52
結核性肝周囲炎　151
結核性腹膜炎　148
血管異形成　65
血管拡張，食道の　90
血管拡張症　64
——，小腸　106，108
血管形成異常　65
血管系の異常
——，胃の　156
——，小腸，大腸の　156
——，胆囊の　154
——，肺，気管，気管支の　146
——，腹膜の　148
血管腫　62，70
——，胃の　99
——，肝　152
——，脾　158
血管腫性腫瘍，肝　152
血管所見，大腸　112
血管新生　72
——，胃の　156
——，小腸，大腸の　156
血管性病変
——，胃の　100
——，小腸の　108
血管性隆起　62，70
——，小腸　106
——，食道の　84
血管像　64
——，食道の　90
——の変化　64
血管透見　64
血管透見不良，大腸　120
血管輪，食道の　80
血胸　144
結紮，治療内視鏡による　176
結紮器，体腔鏡下手術用　192
血腫　56，72
——，脾　158
血性　66
血性膵液　134
血性胆汁　130
結石　52
結石除去用バルーン，内視鏡処置用　190
結石治療　178
結節　58，70，158
——，結節性病変，胸膜の　144
——，肺，気管，気管支の　146
——，腹膜の　148
結節混在型，大腸側方発育型腫瘍　116
結節状　58
——，粘膜　59
結節性　70
結節の色調，肝の　150
欠損　64
——，横隔膜の　144
——，胸腔壁の　142
——，壁および体腔の　66
結腸　10
結腸圧痕，肝　28
結腸癌　116
結腸曲　26
結腸憩室　110
結腸切除術　27
——，腹腔鏡下　184
結腸半月ひだ　10
結腸ひも　12，26
結腸膨起　10
結腸瘻　110
血便　112
血流の変化　70
ゲルイマージョン内視鏡的粘膜下層剝離術　182
ゲルイマージョン内視鏡的粘膜切除術　180
ゲルイマージョン法　164

限局性拡張，膵管　134
限局性病変，膵の　142
限局性腹膜炎　148
堅固な　71
原発性硬化性胆管炎　126，127，154
原発性腫瘍
──，肝　152
──，胸膜の　144
顕微鏡的大腸炎　122
顕微内視鏡　168

【こ】

紅暈を伴う炎症性変化　65，107
高エコー　74
高エコー域を伴った　76
硬化
──，壁の　50
──した胆道壁　124
口蓋弓　4
口蓋垂　4
口蓋扁桃　4
光学式，顕微内視鏡　168
硬化剤　179，181
硬化症，胆嚢　154
硬癌，胃の　97
硬癌（スキルス），胃　96
睾丸動静脈　35
口腔　2
口腔底　2
硬口蓋　2
後縦隔　67
高周波ナイフ　188
高周波発生装置　188
鉤状膵　21
鉤状突起，膵　20，42
鉤状部，膵　20，42
広靱帯　160
硬性鏡　165，186
硬性食道鏡　187
抗生物質関連大腸炎　122
光線力学的治療　182
梗塞
──，小腸，大腸の　156
──，脾　158
口側隆起，十二指腸乳頭　10
光沢　52
──の欠如，粘膜の　52
高張食塩水　179
硬（直）化した膵管壁　134
喉頭　4
喉頭蓋　4
喉頭蓋谷　4
硬度減弱，肝の　151
硬度の増強，肝の　151
硬度の変化　70
──，肝の　150
高度病変，膵の　142
広範性出血　56
後部，膵　20
後腹膜腔内臓器　160
後壁
──，胃　6，38
──，咽頭　4
──，十二指腸　8
──，十二指腸球部　8，40
──，十二指腸上行部　40
──，胆嚢　14
──，直腸　12
後面，十二指腸球部　8，40
肛門　12
肛門陰窩　12，13
肛門縁　12，13
肛門管　12，42
肛門鏡　164
肛門挙筋　44
肛門周囲皮膚　12，13
肛門出血　112
肛門柱　12，13
肛門洞　12，13
肛門乳頭　12，13
肛門皮膚垂　120

肛門弁　12，13
肛門ポリープ　114
絞扼，漿膜の　68
絞扼性漿膜　68
後連合，声門　6
コーヒー残渣様内容物　56
コールド・スネア・ポリペクトミー　180
コールド・フォーセプス・ポリペクトミー　180
コールド・ポリペクトミー　180
5 型　85，97，117
黒色石　131
黒色点　56
黒色斑　56
子スコープ　189
固体撮像素子　187
骨性硬　71
骨盤臓器　160
骨盤内臓器　34
古典的小葉，肝　29
固有肝動脈　32
固有筋層　2
固有鼻腔　2
コラーゲン大腸炎　122
孤立性潰瘍，大腸の　120
孤立性静脈拡張，食道の　90
孤立性嚢胞　152
コレステロール胆石　131
混合型食道裂孔ヘルニア　145
混合型膵管内腫瘍　139
混合石　131
混成石　131
痕跡子宮　161
コントラスト法　166
棍棒状肥厚，ひだの　54
棍棒状肥大，ひだの　54

【さ】

最近の出血　57
再建，治療内視鏡による　176
臍靱帯　34
砕石，内視鏡による　176
砕石具，内視鏡処置用　190
臍帯静脈索　30
サイトメガロウイルス腸炎　122
再発性化膿性胆管炎　128
細胞診　164
再留置可能なクリップ　190
左外側下枝（B3），肝管　16
左外側区域，肝　27
左外側区域枝，肝管　16
左外側上枝（B2），肝管　16
左肝管　16
左肝静脈　44
先細り
——，膵管　134
——，ひだの　54
索　31
柵状血管　7，93
柵状血管像（すだれ様所見），食道の　90
索状癒着　69，149
左結腸曲　10
左腎　38
左心室　36
左腎静脈　46
左腎動脈　46
左心房　36
左側胆嚢　129，154
左側副腎　42
左側壁，直腸　12
擦過細胞診　164
左内側下枝，肝管　16
左内側区域，肝　27
左内側区域枝（B4），肝管　16
左内側上枝，肝管　16
左副腎　38
左葉，肝　26
残胃　100
3 型　85，97，117
三管合流部　18
ざんごう潰瘍，胃の　99

3 次元超音波プローブ　188
三次分枝，膵管　22
三重胆嚢　129
蚕食像　55，65
残存縫合糸　52
散布用チューブ，内視鏡処置用　190

【し】

自家蛍光内視鏡　186
耳管隆起　4
敷石状外観，大腸　120
敷石像　58
色素散布法　167
色素胆石　131
色素法　166
色調の変化
——，肝の　150
——，膵の　160
——，粘膜の　52
——，脾の　158
子宮　34，44，160
——の欠損　161
子宮円索　34
子宮内膜症　120，160
子宮付属器　34
磁器様胆嚢　154
止血，内視鏡による　176，178
止血鉗子，内視鏡処置用　188
止血期　55
止血剤散布法　178
自己充満型盲嚢，小腸の術後　108
自己排出型盲嚢，小腸の術後　108
自己免疫性胃炎　98
自己免疫性膵炎　140
歯状線　12，13
持続性膵炎　141
舌　2
したたる出血　56
下掘れ　65
実質性結節，肝　150
実質性腫瘍，肝　152
質的診断支援　166
質の指標　124
脂肪壊死，腹膜の　148
脂肪酸カルシウム石　131
脂肪織病変，大網・小網の　150
脂肪腫
——，胃の　99
——，小腸　104
——，大腸　116
しもふり，小腸　106
しもふり潰瘍　107
しもふり状びらん　107
若年性ポリープ
——，小腸　104
——，大腸　114
若年性ポリポーシス，大腸　116
斜視　184
斜走潰瘍（瘢痕），小腸　108
縦隔　22，36，66，144
縦隔炎　144
縦隔気腫　144
縦隔鏡　164
縦隔鏡下手術　184
縦隔腫瘍　144
充血　72
——，腹膜の　148
充血性　72
充血性粘膜　54
集合細静脈，胃　6
充実性偽乳頭状腫瘍　137
収縮，消化管内腔の　48
重積，漿膜の　68
重積性漿膜　68
縦走潰瘍，大腸の　120
縦走潰瘍（瘢痕），小腸　106
縦走ひだ，十二指腸乳頭　10
重層扁平上皮　3
集中ひだ　54，65
周堤　65
十二指腸　8，40

十二指腸圧痕，肝　28
十二指腸炎　106
十二指腸潰瘍　106
十二指腸癌　104，106
十二指腸球部　9
十二指腸鏡　133
十二指腸空腸角　8，9，40
十二指腸空腸曲　8，9
十二指腸憩室　102
十二指腸係蹄　8，9
十二指腸結腸瘻　103
十二指腸（内視）鏡　162，186
十二指腸乳頭　8，105
十二指腸乳頭炎　106
十二指腸乳頭部　18
十二指腸瘻　102
重複子宮　161
重複（二重）胆嚢　128
重複幽門　92
終末細肝動脈枝　28，31
終末細門脈枝　28，29，31
絨毛，小腸　102
絨毛状　62
絨毛状腫瘍　62
——，大腸　116
絨毛腺腫　114
主気管支　36
樹枝状血管，食道の　90
主膵管　22，42，132
主膵管型膵管内腫瘍　139
主膵管走行異常　132
数珠状所見　127
数珠状胆道内腔　126
数珠状の主膵管　134
腫大
——，肝の　150
——，ひだの　54
——（した）胆道内腔　126
——したひだ　54
腫脹
——，漿膜の　68
——，粘膜の　54
——した漿膜　68
——した粘膜　54
出血　54，70
——，胃の　94
——，小腸の　102
——，食道の　82
——，膵の　136
——，大腸の　112
——，胆嚢の　130
——なし　57
——の痕跡　55，56
出血期　55
出血源　58
出血性　70
出血性胃炎　98
出血性十二指腸炎　107
出血性食道静脈瘤　82
出血性病変，腹膜の　150
出血性びらん　56
出血性びらん性胃炎　98
出血面　55
術後胃　100
術後狭窄
——，小腸の　100
——，大腸の　110
術後内視鏡　162
術後の状態　66，70，100
——，小腸の　108
——，食道の　92
——，膵の　138
——，大腸の　122
——，胆道の　132
術後吻合部狭窄　132
術前内視鏡　162
術中胆管鏡，腹腔鏡下　184
術中胆管造影，腹腔鏡下　184
術中内視鏡　162
主乳頭，十二指腸　8，40，105
腫瘍　62，70
——，胃の　156

——，肝　152
——，胸膜の　144
——，小腸　104
——，漿膜の　68
——，食道の　82
——，脾　158
——，腹膜の　148
——，卵巣　160
腫瘍血管　72
——，胃の　156
——，小腸，大腸の　156
腫瘍性　70
腫瘍性狭窄，胆道の　128
腫瘍性結節，肝の　152
腫瘍性病変
——，胃の　94
——，大腸の　112
腫瘍性変化，漿膜の　68
腫瘍に対する治療，内視鏡による　180
腫瘤　62
——，胃の　156
——，肝　152
——，胸膜の　144
——，小腸　104
——，脾　158
——，腹膜の　148
——，卵巣　160
腫瘤型　97，117
腫瘤形成性　62，70
腫瘤形成性膵炎　140
腫瘤性狭窄
——，小腸の　100
——，大腸の　110
——，胆道の　128
純エタノール　179
純コレステロール石　131
純粋な膵液　134
上咽頭　4
漿液・血性胸水 / 腹水　67
漿液性胸水 / 腹水　67
漿液性腫瘍　137
漿液性嚢胞腺腫　137
消化管　48
消化管間質腫瘍，胃　98
消化管間葉系腫瘍　116
消化管内容物　68
消化管の壁構造　2
小結節性病変，肝　150
上行結腸　10，44
上行部，十二指腸　8，9，40
消失
——，血管像の　64
——，ひだの　54
消失した胆道造影像　124
上歯肉　2
焼灼，内視鏡による　176，182
上縦隔　67
上十二指腸角　8，9，40
上十二指腸曲　8，9
上唇，回盲弁　10
小帯，十二指腸乳頭　10，11
上大静脈　36，46
上大静脈症候群　91
小腸　8，24，100，156
——の血管　24
小腸癌　104，106，108
上腸間膜静脈　38，46
上腸間膜動脈　33，38，46
小腸 Crohn 病　108
小腸憩室　102
小腸血管性病変の内視鏡分類　109
小腸（内視）鏡　162，186
小腸部分切除術　25
小児内視鏡　162
小乳頭，十二指腸　8，105
小嚢状拡張，膵管　134
小嚢性胆道拡張　126
小嚢胞，膵　140
上鼻甲介　2
上鼻道　2
上皮下腫瘍（病変）　62
上皮乳頭内毛細血管ループ，食道の　90

上部，膵　20
上部回腸　10
上部空腸　10
上部消化管内視鏡　162，186
上部食道括約筋　80
上部胆管　16，19
上部直腸　12
上壁
——，咽頭　4
——，十二指腸球部　8，40
漿膜　2
——，胃　24
漿膜下層　2
漿膜（癌）浸潤　70
漿膜の変化　68
静脈拡張　62
静脈性出血　57
静脈瘤　62，70
——，小腸　106
——，大腸　120
静脈瘤内外併用注入法　181
静脈瘤内注入法　181
上面，十二指腸球部　8，40
小網　24，150
小葉，肝　28
小葉中心性赤色紋理，肝表面の　152
小彎，胃　6，38
小彎短縮，胃の　92
除去，内視鏡による　176
食道　6，36，80
食道・胃静脈瘤に対する治療法　180
食道・胃接合部　6
食道・胃裂傷　92
食道アカラシア　146
食道圧痕，肝　28
食道胃静脈瘤内視鏡所見記載基準　89
食道胃接合部　24
食道胃吻合（術）　92
食道炎　90
食道横隔膜靱帯　145
食道癌　84
食道気管支瘻　80
食道気管瘻　80，146
食道狭窄　148
食道空腸吻合（術）　92
食道憩室　80，146
食道結腸吻合（術）　92
食道縦隔瘻　80，148
食道腫瘍　148
食道静脈瘤　84
食道切除術　23
——，腹腔鏡下　184
食道腺　2
食道（内視）鏡　162，186
食道入口部　91
食道表在癌　84
食道裂孔，横隔膜の　24
食道裂孔狭小，食道の　80
食道裂孔修復術，腹腔鏡下　184
食道裂孔ヘルニア　144，145
植物胃石　93
食物　52
食物残渣　53
——，胃の　92
処置用内視鏡　186
ショート・シングルバルーン内視鏡　186
ショート・ダブルバルーン内視鏡　186
痔瘻　110
腎圧痕，肝　28
腎盂　34
心外膜　36
シングルバルーン小腸内視鏡　162
シングルバルーン大腸内視鏡　164
シングルバルーン内視鏡　186
シングルバルーン内視鏡下 ERCP　171
神経性腫瘍
——，胃の　99
——，十二指腸　105
神経内分泌癌　120
神経内分泌腫瘍
——，胃　99
——，膵　137，138

——，大腸　120
進行胃癌　96
人工肛門
——，小腸　108
——，大腸術後　122
進行食道癌　84
進行腺腫，大腸　114
人工的出血　58
滲出液　66
滲出性　66
浸潤　64，70
——，浸潤性病変，胸膜の　144
——，肺，気管，気管支の　146
——，腹膜の　148
浸潤性　70
浸潤性膵管癌　137
針状パピロトーム　191
腎静脈　38
浸水下内視鏡的粘膜下層剝離術　182
浸水下内視鏡的粘膜切除術　180
浸水法　164
真性嚢胞，膵の　160
腎臓　34，160
——の血管　34
靭帯　31
——，胃　24
——，脾　32
診断的内視鏡　162
診断目的の採取，EUS による　170
伸展，消化管内腔の　48
伸展性，壁の　50
伸展不良，壁の　50
腎動脈　38，46

【す】

膵液　52，134
膵液吸引，EUS による　170
膵液瘻　134
膵炎　140
膵外胆管　18
膵仮性嚢胞　143
膵管　22
膵癌　136
膵管胃吻合　138
膵管炎　140
膵管鏡　132，164，188
膵管空腸吻合　138
膵管系　22
膵管（造影）像　132，169
膵癌取扱い規約 第 3 版　21
膵癌取扱い規約 第 7 版　137
膵管内管状乳頭腫瘍　137，138
膵管内腫瘍　138
膵管内乳頭粘液性腫瘍　137，138
膵管内粘液　136
膵管内の膵液　134
膵管粘膜　136
膵管の開口　134
膵管非癒合　138
膵管分岐部　22
膵管分枝　132
膵管融合不全　139
膵実質　22，42
膵実質性病変　160
膵腫瘍　136，160
膵腫瘍（上皮性腫瘍）の組織型分類，膵　137
膵上皮内腫瘍性病変　137
膵石　136
膵石症　140
膵臓　20，32，42，132，160
膵臓癌　160
膵臓の血管　32
膵体尾部　21
膵体尾部欠損症　140
膵体部　42
膵胆管合流異常　127，128，138
膵頭十二指腸領域　20
膵頭体移行部　42
膵頭部　21，42
膵内胆管　18

膵嚢胞　140
随伴性膵炎　141
膵尾部　42
水平部，十二指腸　8，9，40
膵野　23
髄様白色調，膵癌の　161
スキップ病変
——，小腸　108
——，大腸の　120
スコープ先端バルーン　186
ステープル，内視鏡処置用　190
ステロイド潰瘍，胃の　99
ステント，内視鏡処置用　190
ステント挿入術　182
——，内視鏡による　176
ステント留置術，EUS による　170
ストリップ・バイオプシー　165，181
ストレス潰瘍，胃の　99
砂時計様胆嚢　128
スネア，内視鏡処置用　190
スネア生検　164
スパイラルオーバーチューブを用いた小腸内視鏡　162
スパイラル小腸内視鏡　162，186
スフィンクテロトーム，内視鏡処置用　190
スライディング・チューブ，内視鏡処置用　190

【せ】

精管　34
生検　164
生検鉗子，内視鏡処置用　188
精索　32
正常括約筋部　50
正常血管像　64
——，食道の　90
正常光沢，粘膜の　52
正常蠕動　50
正常内腔　48
正常な膵管造影像　132
正常な胆道造影像　124
正常粘膜　52
正常の弾力性　50
正常ひだ　54
青色静脈瘤　89
精巣動静脈　34
声帯　6
整復，治療内視鏡による　176
整復・還納できる　71
声門　6
声門下部　6
声門上部　4
赤外内視鏡　186
赤色栓　89
赤色紋理，肝表面の　152
脊椎　36
石様硬　71
舌　2
切開，内視鏡による　176
石灰化，漿膜の　68
石灰化した漿膜　68
石灰化胆嚢　154
舌根　4
切歯　2
切除，内視鏡による　176
接触出血　58
切断，内視鏡による　176
接吻潰瘍，胃の　99
舌扁桃溝　4
切離，内視鏡による　176
ゼリー充満法　170
0-Ⅰ型　97
0-Ⅱa 型　97
0-Ⅱb 型　97
0-Ⅱc 型　97
0-Ⅱ型　97
0-Ⅲ型　97
0 型　97
0 型の亜分類，大腸癌の　117
線維胃石　93

線維化
　——，大網・小網の　150
　——，腹膜の　148
線維腫，胃の　99
線維性癒着　69
線維素・膿性胸水 / 腹水　67
線維素性胸水 / 腹水　67
線維斑，脾の　158
線維付属，肝　30
旋回，漿膜の　70
旋回性漿膜　70
腺管開口部，大腸　112
占居
　——，漿膜の　68
　——した漿膜　68
穿孔　50
　——，胃の　156
　——，憩室の　70
　——，小腸瘻の　102
　——，大腸　110
穿孔性憩室　70
穿孔性病変，胃の　156
腺腫
　——，小腸　104，106，108
　——，大腸　114
　——，胆管（胆嚢）133
前縦隔　67
全周性狭小化，胆道内腔の　126
前終末肝動脈枝　28，31
前終末門脈枝　28，31
腺腫検出割合　124
腺腫性結節，肝　152
洗浄，治療内視鏡による　176
線状潰瘍，胃の　99
洗浄吸引装置，体腔鏡下手術用　192
洗浄細胞診　164
線状瘢痕，肝の　152
洗浄用チューブ，内視鏡処置用　190
染色法　166
前処置　124
全大腸内視鏡　162
選択的迷走神経切断術　25
選択的迷走神経切離（切断）術（選迷切）184
先端バルーン付き内視鏡　186
穿通　51
　——，胃の　156
穿通性病変，胃の　156
剪定状所見　127
前庭部，胃　6，38
先天性奇形，肺，気管，気管支の　146
先天性総胆管拡張症　126
先天性胆道閉鎖症　154
蠕動
　——，壁の　50
　——の減弱　50
　——の亢進　50
　——の消失　50
蠕動運動
　——，食道の　82
　——の消失，食道の　82
前部，膵　20
前壁
　——，胃　6，38
　——，咽頭　4
　——，十二指腸　8
　——，十二指腸球部　8，40
　——，十二指腸上行部　40
　——，胆嚢　14
　——，直腸　12
腺扁平上皮癌　137
腺房細胞癌　137
腺房細胞腫瘍　137
前方視　184
腺房造影，膵管造影の　132
腺房領域，膵　22
前面，十二指腸球部　8，40
前立腺　44
前連合，声門　6

【そ】

造影
——されない膵管造影像　132
——されない胆道造影像　124
造影超音波法　170
総肝管　18，42
総肝動脈　44
挿管（法），内視鏡による　176
早期胃癌　96
早期胃癌診断アルゴリズム　95
臓器自体の病変による変形　48，66
早期食道癌　87
送気装置，体腔鏡下手術用　192
臓器の異常所見　68
増強した血管像　64
層構造　76
操作方法　170
臓側胸膜　23
総胆管　18，32，42
総胆管結石　130
総胆管結石摘出術　33
総胆管十二指腸瘻　103
総胆管切開術，腹腔鏡下　184
総胆管嚢腫　127，154
総胆管末端部　18
蒼白な粘膜　52
総鼻道　4
相馬型パピロトーム　191
側視　184
粟状結節，肝の　152
続発性腫瘍，肝　152
側壁，咽頭　4
側方発育型腫瘍，大腸　116
粟（粒）状結節，腹膜の　148
鼠径管　32
鼠径床　32
阻血　72
阻血性　72
粗な癒着　69
損傷
——，胸部食道の　146
——，漿膜の　68
——を受けた漿膜　68
ゾンデ式，小腸鏡　162

【た】

第1層　76
第2層　76
第3層　76
第4層　76
第5層　76
第6層　76
第7層　76
第8層　76
第9層　76
第10層　76
第11層　76
第12層　76
第13層　76
タール便　112
体外衝撃波結石破砕　177
体下部，胃　6，38
対極板，内視鏡処置用　190
体腔鏡　192
大結節性病変，肝　150
大十二指腸乳頭　19，21
帯状狭窄　127
帯状狭小化，胆道内腔の　126
対称性潰瘍，胃の　99
対称性狭窄
——，小腸の　102
——，大腸の　110
対称性胆道壁肥厚　124
体上部，胃　6，38
褪色した粘膜　52
大腿神経　34
体中部，胃　6，38
大腸　10，26，110，156
——の血管　26
大腸・直腸　42

大腸・直腸壁　42
大腸炎　122
大腸炎関連癌　116
大腸カプセル内視鏡　164
大腸癌　116
——の肉眼分類　117
大腸癌取扱い規約 第 7 版補訂版　177
大腸癌取扱い規約 第 9 版　13，117
大腸クローン病　122
大腸内視鏡　162，188
大腸内視鏡反転　124
大腸メラノーシス　120
大動脈　38，44
大動脈弓　36
大動脈肺動脈窓　36
大乳頭，十二指腸　8，11，105
体部
——，膵　20，32
——，胆囊　14，15
大網　24，150
大網固定術，腹腔鏡下　184
大量出血　56
大彎，胃　6，38
唾液　50
たこいぼびらん　99
蛇行
——した主膵管　132
——した胆道　128
——したひだ　54
多小葉性赤色紋理，肝表面の　152
多数の胆石　130
脱　48
——，食道の　80
——，大腸の　110
脱気水持続送水法　170
脱気水充満法　170
脱肛　110
多発潰瘍，胃の　99
多発性肝囊胞　152
多発性血管腫，脾　158
多発性隆起，脾の　158
多発性リンパ管腫，脾　158
多発ポリープ
——，小腸　104
——，大腸　116
ダブルバルーン小腸内視鏡　162
ダブルバルーン大腸内視鏡　164
ダブルバルーン内視鏡　186
ダブルバルーン内視鏡下 ERCP　171
短胃静脈　25，33
単一の胆石　130
短胃動脈　25，33
胆管　14
胆管炎　154
胆管気腫　130
胆管鏡　164，188
胆管十二指腸瘻　128
胆管像　127，131，169
胆管（胆囊）癌　130
胆管胆囊管合流部　19
胆管（胆囊）腫瘍　130
胆管（胆囊）ポリープ　132
炭酸カルシウム石　131
胆汁　52，69
胆汁吸引，EUS による　170
単純性狭窄
——，小腸の　100
——，大腸の　110
単純な拡張，膵管　134
弾性のある　71
胆石　130
胆石イレウス　130
胆石性膵炎　141
胆泥　130
胆道　14，32，42，124
——の異常開口　128
胆道気腫　130
胆道鏡　125，164，188
胆道消化管吻合部，術後　132
胆道造影像　124
胆道（胆囊）の変形と走行異常　128
胆道内腔の異常　126

胆道壁の異常　124
胆囊　14，32，42，154
——の変形　128
胆囊炎　124，154
胆囊管　14，15，32，42
胆囊癌　132，154
胆囊管肝管合流部　18
胆囊管と総肝管の合流形式　128
胆囊形成（発育）不全　154
胆囊頸部　42
胆囊結石　130，154
胆囊欠損　154
胆囊コレステロローシス　130
胆囊周囲炎　154
胆囊周囲膿瘍　154
胆囊周囲病変　154
胆囊十二指腸瘻　128
胆囊床　14
胆囊静脈　32
胆囊体部　42
胆囊底部　42
胆囊摘出術，腹腔鏡下　184
胆囊動脈　32
胆囊内視鏡検査　164
胆囊壁　14
胆囊リンパ管　32
蛋白栓，膵内の　136
単発潰瘍，胃の　99
単発性隆起，脾の　158
弾力性，壁の　50

【ち】

チェリーレッドスポット　89
蓄積による拡張　69
蓄膿　66
恥骨結節　34
地図状潰瘍，小腸　108
地図状発赤，胃の　92
血マメ　89
中咽頭　4
中間期癌　124
注射，治療内視鏡による　176
中縦隔　67
虫垂　10，24，156
虫垂開口部　10
虫垂間膜　24
虫垂血管　24
虫垂切除術　25
——，腹腔鏡下　184
中断，ひだの　54
中等度病変，膵の　142
中鼻甲介　2
中鼻道　4
中部胆管　16，19
治癒過程期　101
腸液　52，69
超音波ガイド下の治療　171
超音波画像診断法，内視鏡下　171
超音波内視鏡　125
超音波内視鏡下膵仮性囊胞ドレナージ　172
超音波内視鏡下穿刺吸引生検法　170
超音波内視鏡下穿刺吸引法　170
超音波内視鏡画像診断　170
超音波内視鏡下胆道ドレナージ　174
超音波内視鏡下腹腔神経節融解術　172
超音波内視鏡下腹腔神経叢融解術　172
超音波内視鏡機器　188
超音波内視鏡検査　170
超音波内視鏡診断的手技　170
超音波内視鏡治療的手技　170
超音波による砕石　177
腸管 GVHD　122
腸管洗浄度　124
腸管囊腫状気腫症　120
腸管把持鉗子，体腔鏡下手術用　192
腸間膜静脈硬化症　122
腸間膜動脈性十二指腸閉塞　102
腸間膜付着側　10
腸間膜付着部対側　10
腸結核　122

腸骨恥骨靱帯　32
腸軸捻転　70
腸上皮化生　98
腸壁突出　156
直視　184
直視下生検　164
直腸　12, 44
直腸 S 状結腸移行部　44
直腸 S 状部　12
直腸炎　122
直腸癌　116
直腸鏡　162, 188
直腸脱　110
直腸膨大部　12
直腸用硬性プローブ　188
直腸横ひだ　12, 13
貯留
——, 消化管内容物の　68
——した消化管内容物　68
治療内視鏡　176
治療内視鏡各論　176
治療内視鏡に関する基本用語　176
治療腹腔鏡　182
沈殿物　52

【て】

低位前方切除術　27
低エコー　74
低エコー域を伴った　74
定数外卵巣　161
底部, 胆嚢　14, 15
摘出, 内視鏡による　176
デジタル法　166
デバイス小腸内視鏡　162, 186
転移
——, 転移性病変, 胸膜の　144
——, リンパ節　72
転移性癌, 胃の　99
転移性腫瘍, 胸膜の　144, 145
転移性リンパ節　72
電気凝固, 内視鏡による　182
電気凝固止血法　178
電気水圧砕石器　190, 191
電子（式）コンベックス（型）スコープ　188
電子式ラジアル型スコープ　188
電子（式）リニア（型）スコープ　188
電子スコープ　186
電子内視鏡　168
点状出血　56
——, 腹膜の　150
点状病変　63
点状発赤, 胃の　92
電動スパイラル小腸内視鏡　162, 186
点墨法　167, 176

【と】

糖衣肝　150
糖衣脾　158
等エコー　74
陶器様胆嚢　128, 154
頭頸部の解剖　3
凍結療法　182
同時方式　187
頭部, 膵　20, 32
動脈弓　44
動脈枝間吻合, 小腸　25
動脈性出血　57
特発性食道破裂　146
突起部胆管枝　17
トライアングル・オブ・ドゥーム　34
鳥肌胃炎　98
ドレナージ, 内視鏡による　176, 178
トロッカー（トロカー）, 体腔鏡下手術用　192
泥様　71

【な】

内括約筋　44

内腔
——，胃の　92
——，消化管　48
——，小腸の　100
——，食道の　80
——，大腸の　110
内腔の拡大　48
——，小腸の　100
——，大腸の　110
内腔の拡張
——，小腸の　100
——，大腸の　110
内腔の縮小
——，消化管　48
——，小腸の　100
——，大腸の　110
内腔の閉塞
——，膵管　134
——による拡張　69
内痔核　120
内視鏡　163，184
内視鏡下造影法　168
内視鏡下に行われる一般的診断手技　164
内視鏡器具　184
内視鏡（検査）　162
内視鏡後発生大腸癌　124
内視鏡処置用器具　188
内視鏡治療　163，176
内視鏡的逆行性膵管造影　132
内視鏡的逆行性膵胆管造影法　133，169
内視鏡的逆行性胆管膵管造影　168
内視鏡的逆行性胆道膵管造影法　169
内視鏡的経鼻膵管ドレナージ　178
内視鏡的経鼻胆管ドレナージ　178
内視鏡的結石除去術　178
内視鏡的硬化療法　180
内視鏡的静脈瘤結紮術　180
内視鏡的膵管口切開術　178
内視鏡的膵管ステント留置術　178
内視鏡的膵管ドレナージ　178
内視鏡的大腸ステント挿入術　182
内視鏡的胆管ステント留置術　178
内視鏡的胆管ドレナージ　178
内視鏡的乳頭括約筋切開術　178
内視鏡的乳頭切除術　182
内視鏡的乳頭大口径バルーン拡張術　178
内視鏡的乳頭バルーン拡張術　178
内視鏡的粘膜下層剝離術　180
内視鏡的粘膜切除術　180
内視鏡的吻合器，体腔鏡下手術用　192
内視鏡的ラージバルーン拡張術　178
内視鏡用局注針，内視鏡処置用　190
内胆汁瘻　128
内的な狭窄
——，小腸の　102
——，大腸の　110
内部エコー　74
内壁
——，十二指腸　8，9
——，十二指腸上行部　40
内容物　50，66
——，胃の　92
——，小腸　102
——，食道の　82
——，膵の　134
——，大腸の　112
——，胆囊の　130
——のうっ滞による拡張　69
流れ出る出血　56
軟口蓋　4
軟骨様　71
軟性鏡　186
軟性食道鏡　187
軟性プローブ　188

【に】

2型　85，97，117
肉芽腫性食道炎　91
肉腫　62

二次分枝，膵管　22
にじみ出る出血　56，57
2チャンネル内視鏡　186
乳頭開口部
——，十二指腸　11
——，膵管　134
乳頭腫，食道の　82
乳頭状腫瘍　62
乳頭処置　178
乳頭切開術　178
乳頭部
——，十二指腸　18
——の範囲　21
乳頭部癌　130
——，十二指腸　104
乳頭部腫瘍，十二指腸　104
乳頭部胆管　18，19
乳び胸　144
乳び状胸水／腹水　67
尿管　34
二葉胆嚢　129

【ね】

ネクロセクトミー　176
熱傷に伴う潰瘍　99
粘液　52
粘液胃石　93
粘液産生性胆管　132
粘液性嚢胞腫瘍　137，139
——，膵　138
粘液（ムチン）産生腫瘍，膵　138
粘稠な膵液　134
捻転
——，漿膜の　68
——，大腸　110
捻転性漿膜　68
粘土状　71
粘膜　2，52
——，胃の　92
——，小腸　102
——，食道の　82
——，膵の　136
——，大腸の　112
——，胆嚢の　130
粘膜下腫瘍　70
——，胃　98
——，小腸　104
——，大腸　116
粘膜下腫瘤（癌）　62
粘膜下層　2
粘膜下点墨法　167
粘膜関連リンパ組織　116
——，大腸　120
粘膜筋板　2
粘膜血流の変化　54
粘膜出血　58
粘膜上皮　3
粘膜垂　62
——，大腸　120
粘膜脱症候群　110
粘膜内出血　56
粘膜剥離，食道の　92
粘膜ひも　62
——，大腸　120

【の】

膿　52
膿胸　144
脳疾患による消化性潰瘍　99
嚢腫　70，99
膿汁　66
嚢腫性　70
嚢状総胆管拡張　127
嚢胞
——，膵　160
——，脾　158
——，卵巣　160
嚢胞吸引術，EUSによる　170
嚢胞腫瘍，肝　152
嚢胞状拡張，膵管　134

囊胞状気腫，小腸　106
囊胞状腫瘍，肝　152
囊胞性胆道拡張　126
膿瘍　66
膿瘍腔　66

【は】

バーキットリンパ腫　120
パーシャルカバー金属ステント　190
肺　22，36，144
パイエル板，小腸　102
肺炎　146
肺化膿症　146
肺気腫　146
肺形成不全　146
肺結核　146
肺欠損　146
肺腫瘍　146
背側膵炎　140，141
背側膵管　22，23
肺動脈　36，46
肺膿瘍　146
肺把持鉗子，体腔鏡下手術用　192
ハイブリッドESD　182
肺胞性囊胞　146
ハウストラ　10
ハウストラ膨起，大腸　110
拍出する出血　56
白色絨毛，小腸　106
白色静脈瘤　89
白色栓　89
白色斑　65，107
白色紋理，肝の　152
白苔　65，67
白点，小腸　106
白斑，小腸　106
剝離，内視鏡による　176
剝離鉗子，体腔鏡下手術用　192
把持鉗子　177，193
——，内視鏡処置用　188
播種，播種性病変，胸膜の　144
バスケット・カテーテル，内視鏡処置用　188
バスケット鉗子　177，191
——，内視鏡処置用　188
はちまきひだ，十二指腸乳頭　10，11
抜去時間　124
発生異常，膵の　138
ハッソン・カニューレ，体腔鏡下手術用　192
鳩胸　142
パピロトーム，内視鏡処置用　190
針生検　164
——，EUSによる　170
バルーン拡張　182
バルーン・カテーテル　177，188
バルーン小腸内視鏡　162
バルーン（接触）法　170
バルーン大腸内視鏡　164
バルーン付きオーバーチューブ　190
バルーン内視鏡　186
バルーン内視鏡下ERCP　171
バルーン内視鏡を用いたERCP　170
破裂
——，憩室の　70
——した憩室　70
斑
——，肺，気管，気管支の　146
——，斑状の病変，胸膜の　144
——，脾　158
半陰陽　161
パンエンドスコープ　186
パンエンドスコピー　162
反回神経　22
半角子宮　161
半月ひだ　111
瘢痕
——，漿膜の　68
——，大腸の　120
——，脾　158
瘢痕化した漿膜　68

瘢痕肝　154
瘢痕期　101
瘢痕性狭窄，胆道の　128
斑状出血　56
　——，腹膜の　150
斑状病変　63
斑状付着物　63
斑状発赤，胃の　92
斑点　70
斑点状　70
汎発性腹膜炎　148
斑紋，肝表面の　152

【ひ】

ヒータープローブ止血法　178
ヒータープローブ装置　188
ヒータープローブ法　182
光凝固止血法　178
光デジタル法　166
非顆粒型，大腸側方発育型腫瘍　116
鼻腔　2
脾血腫　159
脾結腸間膜　26
肥厚
　——，漿膜の　68
　——，胆嚢　154
　——した漿膜　68
　——した胆道壁　124
肥厚性胃炎　98
肥厚性粘膜　54
肥厚性幽門狭窄症　92
微細膵管　23
非腫瘍性病変，大腸　120
微小な胆石　130
尾状葉，肝　26
脾静脈　38，46
尾状葉枝（B1）　16
尾状葉胆管枝　17
脾腎靱帯　32
脾切痕　32
鼻前庭　2
脾臓　32，38，158
　——の血管　32
脾臓腫大（脾腫）　158
ひだ　31，54
　——，胃の　94
　——，小腸　102
　——，食道の　82
　——，大腸の　112
　——，胆嚢の　130
　——の蚕食像　54
　——の変化　54
非対称性狭窄
　——，小腸の　102
　——，大腸の　110
非対称性胆道壁肥厚　124
ひだ集中　54
左三角間膜　30
鼻中隔　2
脾摘術，腹腔鏡下　184
脾動脈　33，38，46
泌尿器科的手術，腹腔鏡下　184
脾被膜および実質性病変　158
尾部，膵　20，32
被包化膵壊死　142，143
被膜
　——，肝　26
　——の線維斑，肝の　150
　——の肥厚，肝の　150
　——の変化，脾の　158
被膜下肝動脈枝　28，31
被膜下門脈枝　28，31
被膜肝動脈枝　28，31
被膜面，肝　26
びまん浸潤型　85，97，117
びまん性萎縮，肝の　150
びまん性胃前庭部毛細血管拡張　100
びまん性拡張，膵管　134
びまん性肝壊死　152
びまん性肝周囲炎　150
びまん性大細胞型Ｂ細胞性リンパ腫

——，胃　98
——，大腸　116
びまん性粘膜出血　55
びまん性瘢痕，肝の　152
びまん性脾周囲炎　158
びまん性病変，膵の　142
びまん性攣縮，食道の　80
脾門部　32，38
表在型　85，97，117
表在脈管，肝　28
表在リンパ管，肝　30
病変
——からの出血　58
——の程度，膵の　142
——の分布，膵の　142
病変検出支援　166
表面
——，肝　26
——，形態，粘膜の　52
表面型　85，97，117
表面陥凹型　85，97，117
表面粗糙な粘膜　52
表面平滑な粘膜　52
表面平坦型　85，97，117
表面模様，大腸　112
表面隆起型　85，97，117
びらん　64
——，小腸　106
——，大腸の　120
びらん性胃炎　98
びらん性十二指腸炎　107
ビリルビンカルシウム石　131
ビルロートⅠ法再建　100
ビルロートⅡ法再建　100
披裂　4
披裂喉頭蓋ひだ　4
脾彎曲，結腸　10
貧血様の粘膜　52

【ふ】

ファイバースコープ　186
ファイバースコピー　168
プーリング拡張，膵管　134
深い陥凹　67
不可逆性（器質的）狭小化　100
——，大腸内腔　110
ふかひれ型パピロトーム　191
不完全な閉塞，胆道内腔の　126
不規則な膵管壁　134
不規則な病変，膵の　142
不均一な病変，膵の　142
腹横筋　34
腹横筋腱膜　34
腹横筋腱膜弓　34
副肝管　16，128
腹腔　22，66，148
腹腔鏡　142，164，188
腹腔鏡下　25
腹腔鏡下胃部分切除術　25
腹腔鏡下手術　182
腹腔鏡下腎摘出術　35
腹腔鏡下膵手術　33
腹腔鏡下胆嚢摘出術　33
腹腔鏡下腸管手術用カニューレ，体腔鏡下手術用　192
腹腔鏡下脾摘出術　33
腹腔鏡下副腎摘出術　35
腹腔鏡下ヘルニア修復術　33
腹腔鏡内視鏡合同手術　184
腹腔鏡併用下手術　184
腹腔神経叢注入術　173
腹腔神経叢ブロック　173
腹腔側，胆嚢壁　14
腹腔動脈幹　38，44
腹腔内出血　148
腹腔内膿瘍　148
副腎　34，160
——の血管　34
腹水　66，148

副膵管　22，42
腹側膵炎　140，141
腹側膵管　22，23
副胆囊　128
副乳頭　141
——，十二指腸　8，9，40，105
副脾　38，158
腹部食道　6，24
腹部大動脈　42，44
腹壁　32
腹膜　32，148
腹膜炎　148
腹膜偽性粘液腫　148
腹膜垂　26
腹膜翻転部　13
——，直腸　12
副卵管囊胞　161
副卵巣　161
ブジー拡張　182
浮腫，漿膜の　68
浮腫状胆道壁　124
浮腫性漿膜　68
浮腫性粘膜　54
腐蝕性食道炎　91
婦人科的手術，腹腔鏡下　184
不整な拡張，膵管　134
不整な膵管壁　134
不整（な）胆道壁　124
不揃いの萎縮，肝の　150
付着物　62
プッシュ式，小腸鏡　162
太いひだ　54
部分欠損，肝の　150
不明瞭な血管像　64
——，大腸　120
不明瞭なひだ　54
浮遊性胆石　130
浮遊胆囊　128
浮遊物，膵内の　136
プラスチックステント　190
プラハ分類　93
フリジアンキャップ胆囊　128
フルカバー金属ステント　190
ブルンネル腺　2
プレカッティング，内視鏡による　178
プレカッティングEMR　180
プレカット，内視鏡による　178
プロステーゼ，内視鏡処置用　190
分割EMR　180
分割膵　139
分化方向の不明な上皮性腫瘍　137
分岐部，胆管　42
吻合，治療内視鏡による　176
吻合口　66
——，小腸の　108
吻合部　6，36，40，44，66，70
——，十二指腸　8
——，大腸術後　122
吻合部縁，小腸の　108
吻合部潰瘍
——，胃の　100
——，小腸の　108
吻合部肉芽腫，小腸の　108
吻合部ポリープ状肥厚性胃炎　100
分枝，膵管　42
分枝型膵管内腫瘍　139
分枝膵管　22
噴出する出血　56
噴出性出血　57，89
分泌液　52
糞便　52，69
噴門　6，36
——，胃　24
噴門狭窄　92
分葉肝　150
分葉状　59
分葉膵　139
分葉脾　158
分類不能型　85，97

【へ】

ベーチェット病　122
平滑，粘膜　53
平滑筋腫　99
——，胃　98
——，胃の　99
——，食道の　82
——，大腸の　116
平滑な胆道壁　124
平滑部，胆嚢管　14
閉鎖不全，括約筋部の　50
閉塞
——，括約筋部の　50
——，消化管内腔の　48
——，小腸内腔の　102
——，大腸内腔の　110
——（した），胆道内腔の　126
——した膵管　134
平坦型，大腸側方発育型腫瘍　116
平坦型病変，大腸の　112
平坦性病変
——，肝の　150
——，胸膜の　142
——，縦隔の　144
——，膵の　160
——，脾の　158
——，卵巣　160
平坦な膵管病変および血管像　138
平坦な胆管病変および血管像　132
平坦な粘膜　54
平坦粘膜病変および血管像　62
——，食道の　90
平坦病変　70，146
——，胃の　156
——，胸腔壁の　142
——，胸部食道の　146
——，小腸，大腸の　156
——，小腸の　106
——，胆嚢　154
——，腹膜の　148
壁
——，胃　24
——，胃の　92
——，消化管　48
——，小腸の　100
——，食道の　80
——，膵管　134
——，大腸の　110
——の緊張　50
——の緊張亢進　50
——の緊張低下　50
——の硬化　50
——の伸展性　50
——の伸展不良　50
——の蠕動　50
——の弾力性　50
壁および実質の変化，肺，気管，気管支の　146
壁および体腔形態の変化　66
壁および内腔
——，胃の　92
——，消化管の　48
——，小腸の　100
——，食道の　80
——，膵管の　132
——，大腸の　110
——，胆道の　124
壁外性圧迫　48，62
——，食道の　90
壁外性腫瘍，胃の　156
壁外性腫瘤　48
壁在結節　76
壁在性腫瘍，胃の　156
壁在乳頭状結節　76
壁側胸膜　23
壁内性腫瘍，胃の　156
壁の異常開口　70
——，消化管の　48
——，食道の　80
壁の異常開口部
——，小腸の　102

——，大腸の　110
壁の病変，小腸，大腸の　156
壁の変化
——，胃の　156
——，胸部食道の　146
——，縦隔の　144
——，胆嚢の　154
——，虫垂の　156
——，腹膜の　148
ベゾアール　52
ヘニング法　161
ヘマチンに覆われた病変　57
ベラーク　67
ヘルニア　48
——，食道の　80
ヘルニア修復術，腹腔鏡下　184
ヘルペス性食道炎　91
偏位，体腔臓器の　68
偏位した体腔臓器　68
辺縁　65
辺縁動脈，小腸　24
変形　48
——，括約筋部の　50
——，小腸の　102
——，食道の　80
——，膵管の　132
——，臓器自体の病変による　48
——，壁および体腔の　66
——した壁および体腔形態　66
変形性虫垂　156
変色
——，粘膜の　52
——した粘膜　52
偏心性狭窄
——，小腸の　102
——，大腸の　110
片側性胆道壁肥厚　124
扁桃窩　4
扁平円柱上皮接合部　6

【ほ】

傍胃部　38
方形葉，肝　26
傍結腸部　44
膀胱　34，44
縫合，治療内視鏡による　176
縫合糸（残存）　52
縫合線　66，70
——，胃の　100
縫合線潰瘍，小腸　109
縫合不全　70
縫合不全部　70
傍肛門部　44
放射線直腸炎　122
傍十二指腸部　40
傍静脈瘤注入法　181
傍食道部　36
傍食道ヘルニア，食道の　80
紡錘形胆道拡張　126
傍膵臓部　42
蜂巣（蜂窩織）炎性変化，漿膜の　68
傍胆管　42
包虫嚢胞　152
傍直腸部　44
傍乳頭　42
傍乳頭憩室，十二指腸　102
傍乳頭部，十二指腸　40
傍乳頭部領域，膵　20
膨隆
——，漿膜の　68
——した漿膜　68
他の混成石　131
ホジキンリンパ腫　120
細いひだ　54
発赤
——，胃の　92
——，粘膜の　52
発赤所見　89
発赤斑　53

ボツリヌス菌毒素注入術，EUSによる 172
ポリープ 58
——，胃の 94
——，小腸 104
——，大腸 112
ポリープ検出割合 124
ポリープ切除術 180
ポリープ様病変 58
ポリポーシス 58
——，小腸 104
——，大腸 116
翻転憩室，大腸 110，120

【ま】

マーキング法 176
マイクロウェーブ凝固装置 188
マイクロウェーブ止血法 180
マイクロウェーブ（止血）法による砕石 177
マイクロウェーブ法 182
膜 48
——，食道の 80
——による小腸閉塞 102
膜状癒着 69
膜様狭窄
——，小腸の 102
——，大腸の 110
まだらな色調の粘膜 52
マルチベンディング・スコープ 186
慢性，十二指腸炎 106
慢性胃炎 98
慢性潰瘍，胃の 99
慢性膵炎 173
——の超音波内視鏡像 75
慢性胆嚢炎 125
慢性虫垂炎 156
マントル細胞リンパ腫 116

【み】

右三角間膜 30
水置換法 164
密な癒着 69
ミミズ腫れ 89
脈管系 44

【む】

無エコー 74
無エコー域を伴った 74
無気肺 146
無茎性 59
無形成，壁および体腔の 66
結び目送り器 193
無名溝，大腸 112

【め】

迷走神経 22
迷走神経幹 24
迷走神経枝 24
迷走神経切離（切断）術（幹迷切） 184
迷入膵 99
メカニカル・ラジアル・スコープ 188
メッケル憩室，十二指腸 102
メラノーシス 52
メレナ 112
免疫チェックポイント阻害薬による腸炎 122

【も】

盲係蹄，小腸の術後 108
毛細血管拡張症 64
——，大腸 120
盲腸 10
網嚢 24
盲嚢，小腸の術後 108
網嚢孔 25

毛髪胃石　93
門　193
門脈　38, 46
門脈圧亢進性胃症　100
門脈域　28
門脈系　28
門脈合流部　38, 46
門脈臍部　46
門脈枝　28, 31
門脈周囲の赤色紋理, 肝の　152

【や】

薬剤局注止血法　178
薬剤性食道炎　91
矢野・山本分類　109
軟らかい　71

【ゆ】

有茎性　59
融合, ひだの　54
疣状胃炎　98, 99
遊走胆囊　128
幽門　6, 38
幽門狭窄　92
幽門前部　6, 38
幽門洞　6, 38
歪んだ主膵管　134
歪んだ胆道　128
輸出脚, 小腸　108
癒着　124
　——, 漿膜の　68
　——, 腹膜の　148
　——（した）性漿膜　68
癒着剝離, 腹腔鏡下　184
輸入脚, 小腸　108

【よ】

4 型　85, 97, 117

【ら】

ラジアル超音波プローブ　188
ラジオ波焼灼療法　182
らせん状の胆道　128
らせんひだ, 胆囊管　14
らせん部, 胆囊管　14
卵管　34, 160
卵管間膜　34
卵管水腫　161
卵管妊娠　161
卵管膿腫　161
卵管閉塞　161
卵巣　34, 160
卵巣無形成　161
卵巣様間質, 粘液性囊胞腫瘍の　139
卵胞囊胞　161

【り】

梨状陥凹　4
立体内視鏡（計測用内視鏡）　186
リネア超音波プローブ　188
リポフスチン　53
裏面, 肝　26
隆起　58, 70
　——, 小腸の　102
　——, 食道の　82
　——, 膵の　136
　——, 胆囊の　130
隆起型　85, 97, 117
隆起性実質性病変, 脾の　158
隆起性病変　58, 70, 144
　——, 胃の　156
　——, 肝の　150
　——, 胸腔壁の　142
　——, 胸部食道の　148
　——, 胸膜の　144
　——, 縦隔の　144
　——, 小腸　102
　——, 小腸, 大腸の　156

——，食道の　82
——，膵　160
——，大腸の　112
——，胆嚢／肝外胆管の　154
——，肺，気管，気管支の　146
——，腹膜の　148
——，卵巣　160
留置拡張，内視鏡による　176
留置スネア　190
陵形成，小腸の　102
良性リンパ濾胞性ポリープ　114
稜線状発赤，胃の　92
両側性胆道壁肥厚　124
輪　48
——，食道の　80
臨床・病理食道癌取扱い規約 第12版　85
臨床・病理胆道癌取扱い規約 第6版　15
臨床・病理胆道癌取扱い規約 第7版　11，15，19，21，23，105，131
輪状潰瘍，大腸の　120
輪状潰瘍（瘢痕），小腸　108
輪状狭窄
——，小腸の　102
——，大腸の　110
輪状後部　4
輪状膵　140
輪状ひだ
——，回腸　10
——，十二指腸　11
——，小腸の　102
リンパうっ滞　152
リンパ管拡張症，小腸　106
リンパ管系，肝　30
リンパ管腫　72
——，胃の　99
——，小腸　104
リンパ球性大腸炎　122
リンパ腫　62，72，116
リンパ小水疱　152
リンパ節　72
——，リンパ管の変化　72
リンパ浮腫　72
リンパ濾胞
——，小腸　104
リンパ濾胞過形成
——，小腸　102
——，大腸　120

【る】

ルーワイ法再建　100
ルテイン嚢胞　161

【れ】

レーザー温熱療法　182
レーザー凝固　182
レーザー砕石器　191，192
レーザー照射法　178
レーザー治療　182
レーザーによる砕石　177
レーザー発生装置　188
裂溝　66
裂肛　120
裂孔靭帯　34
裂傷　66
攣縮
——，消化管内腔の　48
——，食道の　80
攣縮（緊張）性括約筋部　50

【ろ】

ロイコプラキー　83
瘻孔　50，70
——，胃の　156
——，胸部食道の　146
——，食道の　80
——，膵の　134
——，胆道術後の　132
漏出

——，消化管内容物の 68
——した消化管内容物 68
漏出（物），術後 70
漏斗肝 154
漏斗胸 142
漏斗部，胆嚢 14
ロープウェイ式，小腸鏡 162
ロサンゼルス（LA）分類 91
濾出液 66
露出血管 56，57
濾出性 66
露出動脈 57
肋骨圧痕，肝 28
肋骨陥凹，肝の 152
肋骨骨折 142
肋骨周囲結核 142
濾胞性リンパ腫 116

欧文索引

【A】

abdominal aorta 42, 44
abdominal cavity 66, 68
abdominal esophagus 6, 24
abdominal wall 32
aberrant pancreas 99
abnormal appearance, gallbladder/ extrahepatic biliary tract 154
abnormal cholangiogram 124
abnormal course (or shape) of the main pancreatic duct 132
abnormal findings of organs in pleural/ peritoneal (or abdominal) cavity 68
abnormal liver appearance 150
abnormal opening 70
—— of the biliary tract 128
abnormal opening of the wall 48
——, esophagus 80
——, large intestine 110
——, small intestine 102
abnormal pancreatogram 132
abnormal position, gallbladder/ extrahepatic biliary tract 154
abnormal vascularization of the liver surface 152
abnormality 124
——, cholangiogram 124
—— in lumen of the biliary tract 126
abrupt cessation 54
abrupt ending 54
abscess 66
abscess cavity 66
absence of uterus 161
absent peristalsis, esophagus 82
absolute ethanol 179
accessory gallbladder 128
accessory hepatic duct 16, 128
accessory ovary 161
accessory pancreatic duct 22, 42
accessory papilla 8
——, duodenum 40
accessory spleen 38, 158
acinar cell neoplasms (ACNs) 137
acinar filling, pancreatogram 132
acinar region, pancreas 22
acinarization 132
active bleeding 54
active stage 101
acute appendicitis 158
acute appendicitis perforativa 158
acute cholecystitis 125
acute dilatation of the stomach 154
acute duodenitis 106
acute gastric mucosal lesion 98
acute gastritis 98
acute hemorrhagic colitis 122
acute hemorrhagic rectal ulcer 122
Acute necrotic collection (ANC) 143
acute obstructive suppurative cholangitis 128
acute pancreatitis 141
Acute peripancreatic fluid collection (APFC) 143
acute ulcer of stomach 99
adenoma
——, large intestine 114
——, small intestine 104, 106, 108
adenoma detection rate 124

adenomatous nodule
——, liver 152
adenomyomatosis 124
Adenosquamous carcinoma 137
adhered, serosa 68
adherent clot 57
adhesiolysis, laparoscopic 184
adhesion 124
——, peritoneum 148
——, serosa 68
adhesive serosa 68
adnexa 34
adrenal gland 34, 160
advanced adenoma, large intestine 114
advanced esophageal cancer 84
advanced gastric cancer 96
advanced neoplasia 115
adventitia 2
afferent loop, small intestine 108
agenesis
——, wall and cavity 66
—— of the body and tail of the pancreas 140
—— of the gallbladder 154
aglycogenic acanthosis 83
air bubble
——, gallbladder 130
——, pancreas 134
Alonzo-Lej 分類 127
altered blood 56
amebic colitis 122
ampulla 8
ampullary intervention 178
ampullary tumor, small intestine 104
anal bleeding 112
anal canal 12, 42
anal crypt 12
anal fissure 120
anal fistula 110
anal papilla 12
anal polyp 114
anal prolapse 110
anal sinus 12
anal skin tag 120
anal valve 12
anal verge 12
anastomosis 6, 36, 40, 44
——, by therapeutic endoscopy 176
——, duodenum 8
——, postoperative 122
anastomotic crest, small intestine 108
anastomotic leak 70
anastomotic leak site 70
anastomotic site 66, 70
——, postoperative 122
anastomotic stoma 66
——, small intestine 108
anechoic 74
anemic, mucosa 52
angiectasia 64
——, small intestine 106, 108
angiodysplasia 65, 121
angioectasia 64
——, esophagus 90
——, small intestine 106, 108
angiogenesis 72
——, small intestine, large intestine 156
——, stomach 156
angioma, spleen 158
angiomatosis, spleen 158
angiomatous tumor, liver 152
angulated biliary tract 128
angulus, stomach 6, 38
annular narrowing, biliary tract 126
annular pancreas 140
annular stenosis
——, large intestine 110
——, small intestine 102
annular ulcer (scar), small intestine 108

annular ulcer, large intestine 120
anoscopy 164
anterior area, pancreas 20
anterior aspect, duodenum 8, 40
anterior commissure, glottis 6
anterior mediastinum 67
anterior naris (nares) 2
anterior surface, liver 26
anterior wall
——, duodenum 8, 40
——, gallbladder 14
——, pharynx 4
——, rectum 12
——, stomach 6, 38
antibiotic-associated colitis 122
antimesenteric side 10
antrum, stomach 6, 38
anus 12
aorta 38, 44
aortic arch 36, 44
aortopulmonary window 36
AP window 36
aperistalsis 50
apex of bulb, duodenum 40
aphtha 64, 66
——, small intestine 106
aphthous papula 61
aphthous (or aphthoid) ulcer
——, large intestine 120
——, small intestine 106
aplasia of the body and tail of the pancreas 140
aponeurotic arch of transversus abdominis 34
appendectomy, laparoscopic 184
appendiceal orifice 10
appendices epiploicae 26
appendicular vessels 24
appendix 156
appendix fibrosa, liver 30
argon plasma coagulation (APC) 178
argon plasma coagulation therapy (APC) 182
argon plasma coagulator 188
arterial arcades of small intestine 25
arteriomesenteric occlusion, duodenum 102
artifactual bleeding 58
aryepiglottic fold 4
arytenoid 4
ascending colon 10, 44
ascending part
——, duodenal 9
——, duodenum 8, 40
ascites 66, 148
aspiration biopsy 164
aspiration cytology 164
aspiration tube 190
asymmetric (al) stenosis
——, large intestine 110
——, small intestine 102
asymmetric (al) thickening, wall of the biliary tract 124
atelectasis 146
atonic wall 50
atrophic 72
atrophic duodenitis 106
atrophic gallbladder 128
atrophic gastritis 98
atrophic, mucosa 54
atrophy, liver 150
autofluorescence endoscope 186
autoimmune gastritis 98
autoimmune pancreatitis 140
avascular area (AVA) 87
azygos vein 22, 36
azygous vein 44

【B】

baby scope 189

balloon assisted colonoscopy（BAC） 164
balloon assisted endoscope（BAE） 186
balloon assisted enteroscopy（BAE） 162
balloon-attached endoscope 186
balloon-attached overtube 190
balloon at the endoscope tip 186
balloon catheter 188
balloon contact method 170
balloon dilatation 182
balloon dilation 182
balloon enteroscopy（endoscopy） assisted ERCP（BE-ERCP，BEERCP） 171
balloon enteroscopy（or endoscopy） assisted ERCP 170
band-like adhesion 69
band-like narrowing，biliary tract 126
band-like stricture of biliary tract 127
Barrett's epithelium 92
Barrett's esophagus 92
Barrett's ulcer 92
Barrett 上皮 92
Barrett 食道 92
Barrett 潰瘍 92
base of tongue 4
basket catheter 188
basket forceps 177，188
Bauhin 弁 10
B-cell lymphoma 116
beaded appearance of biliary tract 127
beaded dilatation of biliary tract 126
beaded main pancreatic duct 134
Behçet's disease 122
Belag 67
benign lymphoid polyp 114
bezoar 52，177
—— of the stomach 92
bifurcation，biliary tract 42
bilateral thickening，wall of the biliary tract 124
bile 52，69
bile duct 14
—— in the porta hepatis 17
—— of the papillary region 18，21
bile juice aspiration，by EUS 170
biliary calculus（or calculi）gallstone 130
biliary debris 130
biliary sludge 130
biliary stone 130
biliary tract 14，32，42，124
bilioenteric anastomotic site，postoperative 132
Billroth Ⅰ reconstruction 100
Billroth Ⅱ reconstruction 100
bilobed gallbladder 129
biopsy 164
biopsy forceps 188
black stone 131
bleeding 54，70，112
——，esophagus 82
——，gallbladder 130
——，pancreas 136
——，stomach 94
—— from lesion 58
bleeding area 55
bleeding esophageal varices 82
bleeding point 55
bleeding spot 55
blind loop，postoperative 108
blind pouch，postoperative 108
block formation，liver surface 152
blood 52
blood pigment point 56
blood pigment spot 56
blood vessels
—— of the adrenal gland 34
—— of the kidney 34
—— of the large intestine 26
—— of the pancreas 32

—— of the small intestine　24
—— of the spleen　32
—— of the stomach　24
—— of the thoracic esophagus　22
bloody　66
bloody pancreatic juice　134
Bochdalek's hernia　145
Bochdalek 孔ヘルニア　145
body
——, gallbladder　14
——, pancreas　20, 32, 42
——, stomach　6, 36
—— and tail of the pancreas　21
Boerhaave's syndrome　146
bony hard　71
border　65
botulinum toxin（Botox®）injection, by EUS　172
bougie　183
bougienage　182
bowel grasper　192
bowel preparation quality　124
branch　42
branch of the pancreatic duct　22, 132
branch of vagus nerve　24
bridging fold　54
broad ligament　160
bronchi　22, 144
bronchiectasis　146
bronchus　22, 144
brownish area　87
Brunner's gland　2
Brunner 腺過形成　104
brush cytology　164
buccal mucosa　2
bulb　9
——, duodenum　8, 40
bulbus, duodenum　8, 40
bulge, serosa　68
bulging serosa　68
Burkitt's lymphoma　120
bursa omentalis　24
B 細胞性リンパ腫　116

【C】

calcification, serosa　68
calcified serosa　68
calcium bilirubinate stone　131
calcium carbonate stone　131
calcium fatty acid stone　131
Calot's triangle　18, 32
Calot 三角　18, 32
campylobacter enterocolitis　122
cancer　62
Candida esophagitis　91
cannula　190
cannulation
——, by therapeutic endoscopy　176
——, endoscopic　176
Cantlie's line　28
Cantlie 線　28
capsular and parenchymal lesion
—— of the liver　150
—— of the spleen　158
capsular changes, spleen　158
capsular fibrous plaque, liver　150
capsular hepatic artery branch　28, 31
capsular thickening, liver　150
capsule endoscope　188
capsule endoscopy　162
capsule, liver　26
carcinoid
——, large intestine　120
—— of stomach　99
carcinoma　62
——, small intestine　104
—— of the bile duct（or gallbladder）　130, 132
—— of the duodenum　104, 106
—— of the esophagus　84

—— of the extrahepatic biliary tract 154
—— of the gallbladder　154
—— of the ileum　104, 106
—— of the jejunum　104, 106
—— of the pancreas　136, 160
—— of the papilla of Vater　130
—— of the papilla, duodenum　104
—— of the small intestine　104, 106, 108
—— of the stomach　94
carcinomatous peritonitis　148
carcinomatous pleuritis　144
cardia　6, 36
cardiac stenosis　92
carina　36
Caroli's disease　126
Caroli 病　126
carotid artery　36, 44
cartilaginous　71
catarrhal change in the serosa　68
catarrhalis change in the serosa　68
catgut　53
catheterization, endoscopic　176
caudate lobar ducts　17
caudate lobe of liver　38, 40
caudate lobe, liver　26
caudate process duct　17
caustic (corrosive) esophagitis　91
cauterization
——, by endoscopy　182
——, by therapeutic endoscopy　176
cavernous hemangioma　120
CCD　187
cecal intubation rate　124
cecal intubation time　124
cecum　10, 44
celiac plexus block (CPB)　173
celiac plexus injection (CPI)　173
celiac trunk　38, 44
centrilobular reddish marking, liver surface　152
cervical esophagus　6
CHAb　31
change in blood flow　70
change in color
——, liver　150
——, mucosa　52
——, pancreas　160
——, spleen　158
change in consistency　70
change in form and volume, small intestine, large intestine　156
change in lymph node and lymphatic vessels　72
change in mucosal blood flow　54
change in shape
——, appendix　156
——, diaphragm　144
——, lung, trachea, bronchus　144
——, ovary　160
——, spleen　158
——, uterus　160
——, wall of the pleural cavity　142
change in size, liver　150
change in stiffness, liver　150
change in tension, gallbladder　154
change in the fold　54
change in the pleura　142
change in the pleura/intra-pleural cavity　142
change in the serosa　68
change in the wall
——, appendix　156
——, gallbladder　154
——, mediastinum　144
——, peritoneum　148
——, stomach　156
—— and cavity　66
—— and parenchyma, lung, trachea, bronchus　146

—— of esophagus, thoracic esophagus 146
change in vascular pattern 64
change in volume
——, spleen 158
——, stomach 154
change of position, small intestine, large intestine 156
change of shape, ovary 160
changes at the sphincteric region, gallbladder 130
changes in wall of the biliary tract 124
charge-coupled device (CCD) 187
cherry red spot (CRS) 89
chest wall injury 142
chest wall tumor 142
chlamydial proctitis 122
cholangiogram 124, 169
cholangioscope 188
cholangioscopy 164
cholangitis 154
cholecystectomy, laparoscopic 184
cholecystitis 124, 154
cholecystoduodenal fistula 128
cholecystoduodenal ligament 15
cholecystolithiasis 130, 154
cholecystoscopy 164
choledochal cyst 154
choledochoc(o)ele 127
choledochoc(o)ele dilatation of the common bile duct 127
choledochoduodenal fistula 128
choledocholithiasis 130
choledochoscope 188
choledochoscopy 164, 165
cholelithiasis 130
cholesterol gallstone 131
cholesterol polyp 133
cholesterolosis of the gallbladder 130
chorda venae umbilicalis 30
chromoendoscopy 166
chromoscopy 166
chronic appendicitis 156
chronic cholecystitis 125
chronic duodenitis 106
chronic gastritis 98
chronic pancreatitis 141
chronic ulcer of stomach 99
chylothorax 144
chylous ascites 67
cicatricial stricture, biliary tract 128
circular 110
circular fold, ileum 10
circular folds, small intestine 102
circular narrowing, biliary tract 126
circular ulcer 108, 120
Classen 型パピロトーム 191
clay-like consistency 71
clip 190
clipping 176, 178
clot 56
clubbing, fold 54
club-like thickening, fold 54
CMSEP 114
cobblestone appearance 58
——, large intestine 120
cobblestone mucosa 61
coffee ground-like material 56
cold forceps polypectomy 180
cold polypectomy 180
cold snare polypectomy 180
colectomy, laparoscopic 184
colic impression, liver 28
colitic cancer 116
colitis 122
colitis associated with immune checkpoint inhibitors 122
collagenous colitis 122
collected gastrointestinal contents 68
collecting venule, stomach 6
collection, gastrointestinal content 68
collum, gallbladder 14

colon　10
colon capsule endoscopy　164
colonic cancer　116
colonic fistula　110
colonic mucosubmucosal elongated polyp　114
colonoscope　188
colonoscopic retroflexion　124
colonoscopy（CS）　162
color chip method　187
color of parenchymal nodules，liver　150
colorectal cancer　116
colorectal wall　42
colorectum　42
colostomy　123
colour Doppler　170
combination stone　131
common bile duct　18，32，42
common bile duct exploration，laparoscopic　184
common bile duct stone　130
common channel　18，21，22，42
common diagnostic procedures under endoscopic control　164
common hepatic artery　32，44
common hepatic duct　18，42
common meatus　4
complementary metal oxide semiconductor（CMOS）　187
complete obstruction，biliary tract　126
compressed biliary tract　128
compressed wall and cavity　66
compressible　71
compression　48，66
——，esophagus　80
Computer-Aided Detection（CADe）　166
Computer-Aided Diagnosis（CADx）　166
computer assisted diagnosis（CAD）　166
concentric stenosis
——，large intestine　110
——，small intestine　102
concomitant pancreatitis　141
confluence of the hepatic ducts　16
confocal method，endomicroscopy　168
congenital anomaly，pancreas　138
congenital biliary atresia　154
congenital choledochal cyst　126
congenital dilatation of the common bile duct　126
congenital malformation，lung，trachea，bronchus　146
congested　72
——，mucosa　54
—— appendix　158
congestion　72
contact bleeding　58
content　50，66
——，esophagus　82
——，gallbladder　130
——，large intestine　112
——，pancreas　134
——，small intestine　102
contents，stomach　92
continuous deaerated water infusion method　170
contraction，lumen of digestive tract　48
contrast method　166
contrast-enhanced EUS　170
converging folds　54
Cooper's ligament　34
Cooper 靱帯　34
cork-screw shaped biliary tract　128
coronary ligament　30
coronary vein　25
corpus
——，gallbladder　14

——, stomach 6, 36
costal impression, liver 28, 152
Couinaud の肝区域 17
Courvoisier gallbladder 127
Courvoisier's law 127
Courvoisier's sign 127
Courvoisier-Terrier syndrome 127
covering fold, duodenal papilla 11
CPB 173
CPI 173
crater 67
Crohn's disease 91
—— of the large intestine 122
—— of the small intestine 108
Cronkhite-Canada syndrome 104, 116
Cronkhite-Canada 症候群 104, 116
CRS 89
crus of diaphragm 24, 38
cryotherapy 182
Curling's ulcer of stomach 99
curved linear array echoendoscope 188
curvilinear array echoendoscope 188
Cushing's ulcer of stomach 99
cutting, by therapeutic endoscopy 176
cylinder dilatation of biliary tract 126
cyst 70
——, liver 152
——, ovary 160
——, spleen 158
—— of stomach 99
—— of the pancreas 140
cyst aspiration, by EUS 170
cyst wall and septum 76
cystic 70, 152
cystic artery 32
cystic dilatation
——, pancreatic duct 134
—— of biliary tract 126
—— of the common bile duct 127
cystic duct 14, 32, 42
cystic duct remnant, postoperative 132
cystic lesion of the pancreas 160
cystic vein 32
cytology 164
cytomegalovirus enterocolitis 122

【D】

deaerated water filling method 170
decreased caliber of the lumen
——, digestive tract 48
——, large intestine 110
——, small intestine 100
decreased peristaltic contraction 50
decreased stiffness of liver 151
defect 64
——, diaphragm 144
——, wall and cavity 66
——, wall of the pleural cavity 142
deformed appendix 156
deformed change in the wall and cavity 66
deformed sphincteric region 50
deformity 48
——, esophagus 80
——, small intestine 102
——, wall and cavity 66
—— of the bulb, small intestine 102
—— of the gallbladder 128
—— of the main pancreatic duct (or branch) 132
deformity (or abnormal shape) and abnormal configuration (or branching) of the biliary tract (or the gallbladder) 128
demarcation line (DL) 94
dendritic vessel 90
dense adhesion 69
dentate line 12
deposit 62

depressed lesion 64
——, biliary tract 132
——, esophagus 90
——, large intestine 112
——, small intestine 106
depression 65
deroofing of liver cyst, laparoscopic 184
descending aorta 36, 44
descending colon 10, 44
descending part
——, duodenal 9
——, duodenum 8, 40
detachable snare 190
detorsion 176
Device assisted enteroscopy (DAE) 162
device-assisted enteroscopy ERCP (DAE-ERCP) 171
devices for laparoscopic 192
diagnostic endoscopy 162
diagnostic procedure of EUS 170
diagnostic sampling, by EUS 170
diaphragm 36, 144
diaphragmatic hernia 142, 144
diathermy, by endoscopy 182
Dieulafoy lesion 98
Dieulafoy's lesion 106, 108
Dieulafoy 潰瘍 98
Dieulafoy 病変 98, 106, 108
diffuse atrophy, liver 150
diffuse change of acinar (or lobular) marking of the liver surface 152
diffuse dilatation, pancreatic duct 134
diffuse distribution, pancreas 142
diffuse gastric antral vascular ectasia (DAVE) 100
diffuse hepatic necrosis 152
diffuse large B-cell lymphoma
——, large intestine 116
——, stomach 98
diffuse mucosal bleeding 55
diffuse narrowing of the biliary tract 127
diffuse perihepatitis 150
diffuse perisplenitis 158
diffuse scar, liver 152
diffuse spasm, esophagus 80
digital method 166
dilatation
——, biliary tract 126
——, by endoscopy 182
——, by therapeutic endoscopy 176
——, esophagus 80
——, lumen of digestive tract 48
——, pancreatic duct 134
dilated biliary tract 126
dilated lumen
——, digestive tract 48
——, large intestine 110
——, small intestine 100
dilation
——, by endoscopy 182
——, by therapeutic endoscopy 176
——, esophagus 80
dilation balloon 190
diospyrobezoar 93
direct percutaneous endoscopic jejunostomy (D-PEJ) 183
disappearance, fold 54
disappeared cholangiogram 124
discharge 52
discoloration, mucosa 52
discolored, mucosa 52
displaced biliary tract 128
displaced main pancreatic duct 134
displaced organs in peritoneal (abdominal) cavity 68
displacement
——, liver 150
——, organs in peritoneal (abdominal) cavity 68

disproportional atrophy, liver 150
dissection, by therapeutic endoscopy 176
dissector 192
disseminated lesions, pleura 144
distal bile duct 18
distal bulb, duodenum 40
distal ileum 10
distal jejunum 10
distal portion, common bile duct 18
distal segment, common bile duct 18
distended biliary tract 126
distended lumen, digestive tract 48
distended serosa 68
distended wall, lumen of digestive tract 48
distensibility of the wall 50
distension
——, biliary tract 126
——, serosa 68
distention 48, 68
distorted biliary tract 128
distorted main pancreatic duct 134
distribution, pancreas 142
diversion colitis 122
diverticula 48, 70
diverticular dilatation of the common bile duct 127
diverticulitis
——, colon 110
——, small intestine 102
diverticulum 48, 70
—— of the colon 110
—— of the small intestine 102
diverticulum-like dilatation of biliary tract 126
diverticulum-like outpouching of biliary tract 127
dorsal pancreatic duct 22
dorsal pancreatitis 140, 141
double gallbladder 128
double pylorus 92
double uterus 161
double-balloon colonoscopy (DBC) 164
double-balloon endoscope (DBE) 186
double-balloon enteroscopy (DBE) 162
double-balloon enteroscopy (endoscopy) assisted ERCP (DBE-ERCP, DBERCP) 171
double-channel endoscope 186
Douglas' pouch 34
Douglas 窩 34
downhill varices, esophagus 90
drainage, by therapeutic endoscopy 176, 178
dripping hemorrhage 56
drug-induced esophagitis 91
duct
—— of caudate lobe 16
—— of left lateral segment, hepatic duct 16
—— of left medial segment, hepatic duct 16
—— of right anterior segment, hepatic duct 16
—— of right posterior segment, hepatic duct 16
—— of Santorini 22
—— of Wirsung 22
ductus pancreaticus divisus 139
duodenal diverticulum 102
duodenal fistula 102
duodenal impression, liver 28
duodenal loop 8
duodenal papilla 8
duodenal papillitis 106
duodenal ulcer 106
duodenitis 106
duodenocolic fistula 103
duodenojejunal angle 8, 40
duodenojejunal angulus 8, 9, 40
duodenojejunal flexure 8, 9

duodenoscope 186
duodenoscopy 162
duodenum 8, 21, 40
duplication of the gallbladder 128
dye spraying method 167
dyskinetic sphincteric region 50
dysplasia, large intestine 120

【E】

early carcinoma of the esophagus 87
early gastric cancer 96
eccentric stenosis
——, large intestine 110
——, small intestine 102
ecchymosis 56
echo features 74
echo pattern 74
ectopic gastric mucosa, esophagus 90
edema, serosa 68
edematous serosa 68
edematous wall of the biliary tract 124
edematous, mucosa 54
edge of the stoma, small intestine 108
efferent loop, small intestine 108
elastic 71
elasticity of the wall 50
elastography 170
electric linear echoendoscope 188
electrocoagulation 178
——, by endoscopy 182
electrohydraulic lithotriptor (EHL) 190
electronic endoscope 186
electronic endoscopy 168
electronic radial echoendoscope 188
electrosurgical knife 188
elevated lesion 58, 70, 146, 148
——, esophagus 82
——, gallbladder/extrahepatic biliary tract 154
——, mediastinum 144
——, ovary 160
——, pancreas 160
——, peritoneum 148
——, pleura 144
——, small intestine 102
——, small intestine, large intestine 156
——, stomach 156
——, wall of the pleural cavity 142
elevated type, laterally spreading tumor 116
elevation 70
emphysema 146
——, pleura 142
——, wall of the pleural cavity 142
emphysematous bulla (bullae) 146
empyema 66
EMR using a cap-fitted endoscope 180
EMR with a ligation device 180
EMR-C 180
EMR-L, ESMR-L 180
encircling fold, duodenal papilla 10
encroachment 65
—— of the fold 54
endocytoscope 187
endogastric buldging of the gastric wall 156
endointestinal bulging 156
endometriosis 120, 160
endomicroscopy 168
endoscope 163, 184
—— and device 184
endoscopic biliary drainage (EBD) 178
endoscopic biliary stenting (EBS) 178
endoscopic biopsy 164
endoscopic colorectal stenting 182
endoscopic device 188
endoscopic drainage of pancreatic duct 178
endoscopic injection needle 190

endoscopic injection sclerotherapy (EIS) 180
endoscopic mucosal resection (EMR) 180
endoscopic nasobiliary drainage (ENBD) 178
endoscopic nasopancreatic drainage (ENPD) 178
endoscopic necrosectomy (EN) 175
endoscopic opacification 168
endoscopic pancreatic sphincterotomy (EPST) 178
endoscopic pancreatic stenting 178
endoscopic pancreatocholangiography (EPCG) 169
endoscopic papillary balloon dilation (EPBD) 178
endoscopic papillary large balloon dilation (EPLBD) 178
endoscopic papillectomy 182
endoscopic papillotomy (EPT) 179
endoscopic retrograde biliary drainage 179
endoscopic retrograde cholangiopancreatography (ERCP) 168, 169
endoscopic retrograde pancreatography (ERP) 132
endoscopic retrograde transanal drainage 182
endoscopic sphincterotomy (EST) 178, 179
endoscopic stone extraction 178
endoscopic stone removal 178
endoscopic submucosal dissection (ESD) 180
endoscopic submucosal resection with a ligation device 180
endoscopic surgical stapler 192
endoscopic treatment 176
endoscopic ultrasonography (EUS) 170
endoscopic ultrasonography-guided biliary drainage 174
endoscopic ultrasonography-guided celiac ganglia neurolysis 172
endoscopic ultrasonography-guided celiac plexus neurolysis 172
endoscopic ultrasonography-guided fine needle aspiration 170
endoscopic ultrasonography-guided pancreatic pseudocyst drainage 172
endoscopic ultrasound-guided biliary drainage (EUS-BD) 174
endoscopic ultrasound-guided celiac ganglia neurolysis (EUS-CGN) 172
endoscopic ultrasound-guided celiac plexus neurolysis (EUS-CPN) 172
endoscopic ultrasound-guided fine needle aspiration (EUS-FNA) 170
endoscopic ultrasound-guided pancreatic pseudocyst drainage 172
endoscopic variceal ligation (EVL) 180
endoscopy 162
endosonographic-guided celiac ganglia neurolysis 172
endosonographic-guided pancreatic pseudocyst drainage 172
endosonography 170
endosonography-guided biliary drainage 174
endosonography-guided celiac plexus neurolysis 172
endosonography-guided fine needle aspiration 170
endotherapy 176
enlarged biliary tract 126
enlarged fold 54
enlarged pancreatic duct 134
enlargement
——, biliary tract 126

——, fold　54
——, liver　150
enteroscope　186
enteroscopy　162
enteroscopy assisted ERCP (EA-ERCP)　171
EPCG　169
epiglottis　4
epiphrenic diverticulum　80
epiploic foramen　25
epithelial neoplasm of uncertain differentiation of pancreas　137
EPT　179
ERBD (endoscopic retrograde biliary drainage)　179
ERCP using balloon enteroscopy (or endoscopy)　170
Erlangen papillotome　191
eroded edge of the fold　54
erosion　64
——, large intestine　120
——, small intestine　106
erosive duodenitis　107
erosive gastritis　98
erythema　53
—, stomach　92
esophageal achalasia　146
esophageal cancer　84
esophageal diverticulum (diverticula)　80, 146
esophageal gland　2
esophageal hiatus (of diaphragm)　24
esophageal impression, liver　28
esophageal varices　84
esophagectomy, laparoscopic　184
esophagitis　90
esophagobronchial fistula　80, 146
esophagocolostomy　92
esophagogastric junction　6, 24
esophagogastric tear　92
esophagogastroduodenoscope　186
esophagogastroduodenoscopy (EGD)　162
esophagogastrostomy　92
esophagojejunostomy　92
esophagomediastinal fistula　80, 148
esophagoscope　186
esophagoscopy　162
esophagotracheal fistula　80
esophagus　6, 36, 80
EST　179
EUS Equipment　188
EUS-guided antegrade treatment (EUS-AG)　175
EUS-guided biliary drainage (EUS-BD)　175
EUS-guided choledochoduodenostomy (EUS-CDS)　175
EUS-guided gallbladder drainage (EUSGBD)　175
EUS-guided hepaticogastrostomy (EUSHGS)　175
EUS-guided pancreatic drainage (EUS-PD)　175
EUS-guided rendezvous (EUS-RV) procedure/technique/method　175
EVS (endoscopic variceal sclerotherapy)　181
exaggerated vascular pattern　64
excavated lesion　64
——, biliary tract　132
——, esophagus　90
——, large intestine　112
——, small intestine　106
——, spleen　158
excavated (or depressed) lesion of the liver　152
exocrine neoplasms　137
exposed blood vessels　56
external　2
external biliary fistula　130
external iliac artery and vein　35

external sphincter 44
extracorporeal shock wave lithotriptsy 177
extraction, by therapeutic endoscopy 176
extrahepatic bile duct 16
extrahepatic biliary tract 154
extraluminal growth 70
extramural tumor, stomach 156
extrapancreatic common bile duct 18
extravasated gastrointestinal content 68
extravasation gastrointestinal contents 68
extrinsic compression 48, 62
——, esophagus 90
extrinsic deformity 66
——, esophagus 80
extrinsic mass 48
extrinsic stenosis
——, large intestine 110
——, small intestine 102
exudate 66
exudative 66
exulcerated tumor 61

【F】

falciform ligament 30
fallopian tube 34, 160
familial adenomatous polyposis 104, 116
familial polyposis coli 104, 116
fascia transversalis 34
feces 52, 69
femoral nerve 34
fiberoptic endoscope 186
fiberoptic endoscopy 168
fiberscopy 168
fibrinopurulent ascites 67
fibrinous ascites 67
fibroma of stomach 99
fibrosis
——, omentum 150
——, peritoneum 148
fibrous adhesion 69
fibrous plaque, spleen 158
filling defect
——, cholangiogram 124
——, pancreatogram 132
fine gallstone 130
firm 71
first order branch
——, pancreas 22
first part, duodenum 8, 40
fissure 66
fistula 50, 70
——, esophagus 80
——, pancreas 134
——, stomach 156
——, thoracic esophagus 146
—— of biliary tract, postoperative 132
fistulae 50, 70
flat lesion 70, 146
——, gallbladder 154
——, large intestine 112
——, liver 150
——, mediastinum 144
——, ovary 160
——, pancreas 160
——, peritoneum 148
——, pleura 142
——, small intestine 106
——, small intestine, large intestine 156
——, spleen 158
——, stomach 156
——, thoracic esophagus 146
——, wall of the pleural cavity 142
flat lesion and vascular pattern
—— of the biliary tract 132

—— of the pancreatic duct　138
flat mucosa　54
flat mucosal lesion (s) and vascular pattern　62
——, esophagus　90
flatness, mucosa　54
flexible blind ultrasound probe　188
flexible endoscope　186
flexible esophagoscope　187
flexure of the colon　26
floating gallbladder　128
floating gallstone　130
floating substance (or material), pancreas　136
floor of mouth　2
flowing bleeding　56
focal red mucosa　53
fold　54
——, esophagus　82
——, gallbladder　130
——, large intestine　112
——, small intestine　102
——, stomach　94
—— of Kerckring　10
fold convergence　54
follicle cyst　161
follicular lymphoma　116
food　52
food residue　53
——, stomach　92
forceps　188
forceps biopsy　164
foreign body　52, 177
fornix, stomach　6, 36
Forrest 分類　55, 57
forward-viewing　184
fourth part, duodenum　8, 40
frenulum, duodenal papilla　10, 11
friable, mucosa　54
fully-covered self-expandable metal stent　190
fulminant hepatitis　151
functional　100, 110
fundic gland polyp　94
fundoplication　25
——, laparoscopic　184
fundus　7
——, gallbladder　14
——, stomach　6, 36
fungating　62, 141
funnel chest　142
funnel liver　154
furrow, liver　152
fusion, fold　54

【G】

gallbladder　14, 32, 42, 154
gallbladder bed　14
gallbladder body　42
gallbladder fossa　14
gallbladder fundus　42
gallbladder neck　42
gallbladder stone　130
gallbladder-caval line　29
gallstone　130
gallstone ileus　130
gallstone pancreatitis　141
gangrenosa change in the serosa　68
gangrenous cholecystitis　124
gastrectomy, laparoscopic　184
gastric adenoma　94
gastric antral vascular ectasia (GAVE)　100
gastric area　6
gastric artery　25
gastric bezoar　92
gastric cancer　94
gastric cardia, stomach　24
gastric diverticulum　92
gastric impression, liver　28
gastric juice　52, 69

gastric mucosal atrophy 98
gastric or esophago-gastric varices 180
gastric polyp 94
gastric ulcer 98
——, stage classification of 101
gastric varices 100
gastric vein 25
gastric volvulus 92
gastric wall 42
——, stomach 24
gastritis cystica polyposa 100
gastrocamera 186
gastrocolic ligament 24
gastroduodenal artery 25, 33, 38, 44
gastroduodenal vein 25
gastroduodenostomy 100
gastroepiploic artery 33
gastroepiploic vein 33
gastroesophageal prolapse 80
gastroesophageal reflux 82
gastrohepatic ligament 24, 38
gastrointestinal content 68
gastrointestinal fluid 68
gastrointestinal stromal tumor (GIST) 98, 99, 116
gastrojejunostomy 100
gastrolienal ligament 32
gastrophrenic ligament 24
gastroscope 186
gastroscopy 162
gel immersion endoscopic mucosal resection (GIEMR) 180
gel immersion endoscopic submucosal dissection (GIESD) 182
gel immersion method 164
general terms for therapeutic endoscopy 176
generalized peritonitis 148
genitofemoral nerve 34
genu 42
geographic ulcer, small intestine 108
giant fold 54
giant gallstone 130
giant ruga 54
GIST 104
Glisson's sheath 28
Glisson 鞘 28
glossotonsillar sulci 4
glottis 6
glycogenic acanthosis 82
granular 58, 70
granular cell tumor, esophagus 82
granular duodenitis 107
granular mucosa 61
granular type (LST-G), large intestine 116
granule 58, 70
——, esophagus 82
granules, spleen 158
granulomatous esophagitis 91
grasper 188
grasping forceps 177
greater curvature 6
——, stomach 38
greater curve 6
——, stomach 38
greater omentum 24, 150
gynecological surgery, laparoscopic 184

【H】

H. pylori 99
HAb 31
hamartoma, small intestine 104
hamartomatous polyp, large intestine 114
hard palate 2
Hartmann's pouch 14
Hartmann 嚢 14
Hasson's cannula 192
haustra 10

haustrations, large intestine　110
haustrum　10
HCS　89
head　42
——, pancreas　20, 32
—— of pancreas　21
healed stage　101
healing stage　101
heater probe coagulation　178
heater probe therapy　182
heater probe unit　188
Heister's valve　14
Heister 弁　14
hemangioma　62, 70
——, liver　152
——, spleen　158
—— of stomach　99
hematin-covered lesion　57
hematochezia　112
hematocystic spot (HCS)　89
hematoma　56, 72
——, spleen　158
hemobilia　130
hemoperitoneum　148
hemorrhage　54, 70, 112
——, esophagus　82
——, gallbladder　130
——, pancreas　136
——, small intestine　102
——, stomach　94
hemorrhagic　70
hemorrhagic duodenitis　107
hemorrhagic erosion　56
hemorrhagic erosive gastritis　98
hemorrhagic gastritis　98
hemorrhagic lesion, peritoneum　150
hemorrhagic papula　61
hemostasis
——, by endoscopy　178
——, by therapeutic endoscopy　176
hemostatic forceps　188
hemothorax　144
Henning's method　161
hepar lobatum　150
hepatic arterial system　28
hepatic artery　32, 38, 44
hepatic artery branch　28, 31
hepatic duct　14
hepatic flexure, colon　10
hepatic hilum　28, 42
hepatic vein　44
hepatoduodenal ligament　24
hepatogastric ligament　24
hermaphroditism　161
hernia　48
——, esophagus　80
hernioplasty, laparoscopic　184
herniorrhaphy, laparoscopic　184
herpetic esophagitis　91
Hesselbach's triangle　32
Hesselbach 三角　32
hiatal hernia　144
hiatal narrowing, esophagus　80
hiatus hernia　144, 145
high frequency electrosurgical unit　188
hilar cholangiocarcinoma　130
hilum of the liver　16, 17
hilus of the spleen　32
Hirschsprung's disease　110
Hirschsprung 病　110
Hodgkin lymphoma　120
homogeneous type, laterally spreading tumor　116
hooding fold, duodenal papilla　10, 11
hot snare polypectomy　181
hourglass gallbladder　128
Houston 弁　12
hybrid ESD　182
hydatid cyst　152
hydrosalpinx　161
hyperechoic　74
hyperechoic foci　74

hyperechoic strands 74
hyperemia 72
——, peritoneum 148
——, stomach 92
hyperemic 72
hyperemic mucosa 54
hyperperistalsis 50
hyperplasia of Brunner's gland 104
hyperplastic mucosa 54
hyperplastic polyp
——, large intestine 112
——, small intestine 104
——, stomach 94
hypretensive peristalsis 50
hypertonic saline 179
hypertonic sphincteric region 50
hypertonic wall 50
hypertrophic gastritis 98
hypertrophic mucosa 54
hypertrophic pyloric stenosis 92
hypoechoic 74
hypoperistalsis 50
hypopharyngeal diverticulum 80
hypopharynx 4
hypoplasia
——, wall and cavity 66
—— of the body and tail of the pancreas 140
—— of the gallbladder 154
hypotensive peristalsis or absent peristalsis 50
hypotonic wall 50

【I】

IDUS 43, 189
IgG4 関連硬化性胆管炎 127
ileal fistula 102
ileal pouch 108, 122
ileal pouchitis 106
ileitis 106
ileocecal region 24
ileocecal valve 10, 44
ileocolic junction 24
ileostoma, small intestine 108
ileostomy 108, 123
ileum 10
ilio-pubic tract 32
image enhanced endoscopy 166
imaging diagnosis of EUS 170
impacted gallstone 130
impacted pancreatic stone 136
impaired lower esophageal sphincter relaxation 82
impression 48
——, liver 28
incarcerated serosa 68
incarceration, serosa 68
incision, by therapeutic endoscopy 176
incisor 2
incisura
——, spleen 32
——, stomach 6, 38
incompetent sphincter region 50
incomplete obstruction, biliary tract 126
increased caliber of the lumen 48
——, large intestine 110
——, small intestine 100
increased peristaltic contraction 50
increased stiffness of liver 151
indifferent plate 190
indistinct vascular pattern 64
——, large intestine 120
indistinct, fold 54
infarction
——, small intestine, large intestine 156
——, spleen 158
infectious colitis 122
inferior area, pancreas 20

inferior aspect, duodenum　8, 40
inferior bile duct　16, 21
inferior duodenal angle　8, 40
inferior duodenal angulus　8, 9, 40
inferior duodenal flexure　8, 9
inferior epigastric artery　32
inferior epigastric vessels　33
inferior meatus　4
inferior mesenteric vein　46
inferior surface, liver　26
inferior turbinate　2
inferior vena cava　42, 44
inferior wall, duodenum　8, 40
infiltration　64, 70
——, lung, trachea, bronchus　146
——, peritoneum　148
——, pleura　144
infiltrative　70
infiltrative lesions, pleura　144
infiltrative tumor　61
inflamed change in the serosa　68
inflammation, serosa　68
inflammatory, serosa　68
inflammatory bowel disease　122
inflammatory change, appendix　156
inflammatory disease (s)
——, gallbladder　154
——, peritoneum　148
——, pleura　144
inflammatory fibroid polyp
——, large intestine　114
——, small intestine　104
—— of stomach　99
inflammatory lesion
——, stomach　98
——, thoracic esophagus　146
——, wall of the pleural cavity　142
inflammatory polyp　62
——, large intestine　114
——, small intestine　104
inflammatory polyposis
——, large intestine　116
——, small intestine　104
inflammatory swelling of lymph node　72
infrared endoscope　186
infundibulum, gallbladder　14
inguinal canal　32
inguinal floor　32
iniobezoar　93
injection therapy　178, 182
injection, by therapeutic endoscopy　176
injured serosa　68
injury
——, serosa　68
——, thoracic esophagus　146
inner side, duodenum　8, 40
innominate grooves, large intestine　112
insufflation device　192
insufflation needle　192
insufflator　192
internal biliary fistula　128
internal hemorrhoids　120
internal sphincter　44
interval cancer　124
Intestinal graft-versus-host disease　122
intestinal juice　52, 69
intestinal metaplasia　98
intestinal tuberculosis　122
intraductal mucin　136
intraductal pancreatic juice　134
intraductal pancreatic neoplasm　138
intraductal papillary mucinous neoplasm (IPMN)　138, 139
intraductal tubulopapillary neoplasm (ITPN)　138
intraductal ultrasound (IDUS)　43, 189
intraduodenal bile duct　18

intra-epithelial papillary capillary loop (IPCL), esophagus 90
intrahemorrhagic period 55
intrahepatic bile duct 14
intrahepatic calculi 130
intrahepatic gallbladder 129
intrahepatic stone 130
intraluminal diverticulum, small intestine 102
intraluminal growth 70
intramucosal hemorrhage 56
intramural tumor, stomach 156
intraoperative cholangiography, laparoscopic 184
intraoperative choledochoscopy, laparoscopic 184
intraoperative endoscopy 162
intrapancreatic common bile duct 18
intraperitoneal abscess 148
intraperitoneal effusion 66
intra-pleural cavity 142
intravariceal injection 181
intrinsic deformity 48, 66, 69
intrinsic stenosis
——, large intestine 110
——, small intestine 102
intubation, by therapeutic endoscopy 176
intussusception, serosa 68
invaginated serosa 68
invagination, serosa 68
invasion 70
invasive 70
invasive ductal carcinomas (IDCs) 137
inverted diverticulum, large intestine 110, 120
IP tract 32
irregular dilatation, pancreatic duct 134
irregular lesion, pancreas 142
irregular margin 65
irregular wall
——, pancreatic duct 134
—— of the biliary tract 124
irregularity, wall of the biliary tract 124
irreversible (organic) narrowing 100
——, lumer of large intestine 110
irrigation and aspiration device 192
irrigation tube 190
irrigation, by therapeutic endoscopy 176
ischemia 72
——, small intestine, large intestine 156
ischemic 72
ischemic colitis 122
ischemic lesion, small intestine, large intestine 156
isoechoic 74

【J】

jejunal fistula 102
jejunitis 106
jejunostoma, small intestine 108
jejunostomy 108
jejunum 10
jelly-filling method 170
junction of the cystic and common hepatic ducts 18
junction of the cystic duct 18
junction of the pancreatic ducts 22
junction variation of the cystic duct and the common hepatic duct 128
juvenile polyp
——, large intestine 114
——, small intestine 104
juvenile polyposis, large intestine 116

【K】

Kerckring's folds　102
Kerckring ひだ　102
　——，回腸　10
kidney　34，160
kissing ulcers of stomach　99
Klatskin tumor　130
Klatskin 腫瘍　130
knot pusher　193
Kölliker's capsular vein　28，31

【L】

lack of luster，mucosa　52
lacunar ligament　34
laparoscope　188
laparoscopic bowel surgery cannula　192
laparoscopic surgery　182
laparoscopy　164
laparoscopy and endoscopy cooperative surgery（LECS）　184
laparoscopy-assisted surgery　184
large bowel　26
large gallstone　130
large intestine　10，26，110，156
laryngeal nerve　22
larynx　4
laser ablation　182
laser coagulation　178
laser confocal microscope　187
laser generator　188
laser lithotriptor　192
laser therapy　182
laserthermia　182
Latarjet nerve　24
Latarjet 神経　24
lateral cutaneous nerve of thigh　34
lateral paracolic gutter　26
lateral wall
　——，duodenal　9
　——，duodenum　8，40
　——，pharynx　4
laterally spreading tumor（LST），large intestine　116
lavage cytology　164
lavage tube　190
layer pattern　76
leak，gastrointestinal content　68
leakage
　——，gastrointestinal content　68
　——，postoperative　70
leaked gastrointestinal content　68
left adrenal gland　38，42
left atrium　36
left colonic flexure，colon　10
left crus of diaphragm　25
left hepatic duct　16
left hepatic vein　44
left kidney　38
left lateral segment of liver　27
left lateral wall，rectum　12
left lateral-inferior segmental duct，hepatic duct　16
left lateral-superior segmental duct，hepatic duct　16
left lobe
　——，liver　26
　—— of liver　38，40
left medial segment of liver　27
left medial-inferior segmental duct，hepatic duct　16
left medial-superior segmental duct，hepatic duct　16
left renal artery　46
left renal vein　46
left triangular ligament　30
left ventricle　36
left-sided gallbladder　129，154
leiomyoma
　——，esophagus　82

——, large intestine 116
——, stomach 98
—— of stomach 99
lesion of the adipose tissue, omentum 150
lesions in the pleural cavity 144
lesions of the wall, small intestine, large intestine 156
lesser curvature 6
——, stomach 38
lesser curve 6
——, stomach 38
lesser omentum 24, 150
lesser peritoneal sac 24
leukoplakia 83
lienorenal ligament 32
ligament
——, spleen 32
——, stomach 24
—— of Treitz 8, 24, 40
ligamentum teres 30
ligation, by therapeutic endoscopy 176
ligation device 192
linear scar, liver 152
linear ulcer of stomach 99
linear ultrasound probe 188
lipoma
——, large intestine 116
——, small intestine 104
—— of stomach 99
liquid contents, peritoneum 148
liquid-filled stomach method 171
lithotomy 178
lithotripsy, by therapeutic endoscopy 176
lithotriptor 190, 191
liver 26, 150
liver edge 26
lobar atrophy, liver 150
lobe 26
lobular 59
lobulated 72, 76
lobule, liver 28
local buldging, spleen 158
local peritonitis 148
localized atrophy, liver 150
localized dilatation, pancreatic duct 134
localized lesion, pancreas 142
long segment Barrett's esophagus 92
longitudinal fold, duodenal papilla 10
longitudinal ulcer (scar), small intestine 106
longitudinal ulcer, large intestine 120
loose adhesion 69
loss (of visible vascular pattern) 64
lower bile duct 16
lower body, stomach 6, 38
lower esophageal sphincter 80
lower gingiva 2
lower lip, ileocecal valve 10
lower thoracic esophagus 6
LSBE 92
lumen
——, biliary tract 124
——, digestive tract 48
——, esophagus 80
——, large intestine 110
——, small intestine 100
——, stomach 92
lung 22, 36, 144
lung abscess 146
lung grasper 192
luster 52
lutein cyst 161
lymph follicle hyperplasia
——, large intestine 120
——, small intestine 104
lymphangiectasia, small intestine 106
lymphangioma 72
——, small intestine 104
—— of stomach 99

lymphangiomatosis, spleen 158
lymphatic microcyst (or vesicle) 152
lymphatic stasis 152
lymphatic vessel
—— in falciform ligament 30
—— in ligamentum teres 30
—— in porta hepatis 30
lymphatic vessel running with hepatic venous branch 30
lymphatic vessel system, liver 30
lymphatic vessels 72
lymphatic vessels of the wall of gallbladder 32
lymphedema 72
lymphocytic colitis 122
lymphoid follicle, small intestine 102
lymphoid hyperplasia
——, large intestine 120
——, small intestine 104
lymphoma 62, 72

【M】

macronodular lesion, liver 150
macroscopic classification of colorectal cancer 117
magnifying endoscope 186
magnifying endoscopy 168
magnifying endoscopy findings, stomach 94
magnifying laparoscopy 168
main bronchus 36
main duodenal papilla 40
main pancreatic duct 42, 132
main (or major) pancreatic duct 22
major duodenal papilla 8, 21
major pancreatic duct 132
major papilla 9
——, duodenum 8, 40
malformation
——, pancreas 138
——, wall and cavity 66
——, wall of the pleural cavity 142
malignant lymphoma
——, large intestine 116
——, small intestine 104
——, stomach 98
malignant melanoma 120
Mallory-Weiss syndrome 82, 92, 94
Mallory-Weiss tear 94
Mallory-Weiss 症候群 82, 92, 94
malposition 68
MALT lymphoma 104, 116
MALT リンパ腫 98, 104
mantle cell lymphoma 116
map-like redness, stomach 92
marginal arteries, small intestine 24
marginal swelling 65
marginal ulcer
——, small intestine 108
——, stomach 100
marking 176
mass 62
——, liver 152
——, ovary 160
——, peritoneum 148
——, pleura 144
——, small intestine 104
——, spleen 158
——, stomach 156
mass-forming pancreatitis 140
massive bleeding 56
MCNs 137
mechanical injury, thoracic esophagus 146
mechanical lithotriptor 190, 191
mechanical radial echoendoscope 188
Meckel's diverticulum 102
medial wall
——, duodenal 9
——, duodenum 8, 40
mediastinal emphysema 144

mediastinal tumor　144
mediastinitis　144
mediastinoscopic surgery　184
mediastinoscopy　164
mediastinum　22, 36, 66, 144
medullary white　161
megacolon　110
Meigs' syndrome　160
Meigs 症候群　160
melanosis　52
melanosis coli　120
melena　112
membrane　48, 102
——, esophagus　80
membranous adhesion　69
membranous stenosis
——, large intestine　110
——, small intestine　102
MESDA-G　95
mesenteric phlebosclerosis　122
mesenteric side　10
mesoappendix　24
mesosalpinx　34
metaplastic gastritis　98
metastasis, lymph node　72
metastatic cancer of stomach　99
metastatic lesions, pleura　144
metastatic lymph node　72
metastatic tumor, pleura　144
microcyst　135
——, pancreas　140
micronodular lesion, liver　150
microscopic colitis　122
microscopic endoscopy　168
microsurface (MS) pattern　94
microvascular (MV) pattern　94
microwave coagulation　180, 182
microwave coagulator　188
middle bile duct　16
middle body, stomach　6, 38
middle meatus　4
middle mediastinum　67
middle thoracic esophagus　6
middle turbinate　2
mild　90
mild lesions, pancreas　142
miliary nodule
——, liver　152
——, peritoneum　148
minor duodenal papilla　40
——, duodenum　8
minor papilla
——, duodenal　9
——, duodenum　8, 40
minute gallstone　130
miscellaneous stone　131
mixed stone　131
mixed type of hiatus hernia　145
moderate lesions, pancreas　142
moniliasis　91
monolocular　76
Morgagni's hernia　145
Morgagni 孔ヘルニア　145
moth-eaten appearance　55
mother scope　189
motorized spiral enteroscope　186
motorized spiral enteroscopy　162
mucin producing　132
mucin producing neoplasm　138
mucinous cystic neoplasm (MCN), pancreas　137, 138
mucinous pancreatic juice　134
mucobezoar　93
mucosa　2, 52
——, esophagus　82
——, gallbladder　130
——, large intestine　112
——, pancreas　136
——, small intestine　102
——, stomach　92
—— of the pancreatic duct　136

mucosa-associated lymphoid tissue lymphoma 98
mucosal abrasion, esophagus 92
mucosal bleeding 58
mucosal bridge, large intestine 120
mucosal prolapse syndrome 110
mucosal tag 62
——, large intestine 120
mucus 52
mucus producing 132
muddy 71
multi-bending scope 186
multilobular reddish marking, liver surface 152
multilocular 76
multiple gallstone 130
multiple polyps
——, large intestine 116
——, small intestine 104
multiple protrusion, spleen 158
multiple ulcers of stomach 99
mural architecture 2
mural tumor, stomach 156
muscularis mucosae 2
muscularis propria 2

【N】

narrow band imaging (NBI) 187
narrow biliary tract 126
narrow distal segment of common bile duct 19
narrowing
——, biliary tract 126
——, lumen of digestive tract 48
——, lumen of small intestine 100
——, lumer of large intestine 110
——, pancreatic duct 134
nasal cavity 2
nasal septum 2
nasopharynx 4
natural orifice translumenal endoscopic surgery (NOTES) 184
NBI 187
neck
——, gallbladder 14
——, pancreas 20
necrosectomy 176
necrosis
——, gallbladder 154
——, small intestine, large intestine 156
necrotic pancreatitis 160
needle biopsy 164
——, by EUS 170
needle-type papillotome 191
neoplasm 63
neoplastic nodules, liver 152
neovascularization 72
——, small intestine, large intestine 156
——, stomach 156
net retriever 190
neuroendocrine carcinoma 120
neuroendocrine neoplasm 120, 138
neuroendocrine tumor (NET) 99
neurogenic tumor of stomach 99
no signs of recent hemorrhage 57
nodular 58, 70, 74
nodular gastritis 98
nodular lesions, pleura 144
nodular mixed type, laterally spreading tumor 116
nodular mucosa 61
nodule (s) 58, 70
——, lung, trachea, bronchus 146
——, peritoneum 148
——, pleura 144
——, spleen 158
non-elastic wall 50
non-fusion of the pancreatic ducts 138
non-granular type (LST-NG), large

intestine 116
non-tumorous lesion, large intestine 120
non-visualized cholangiogram 124
non-visualized pancreatogram 132
normal cholangiogram 124
normal echo features 74
normal elasticity of the wall 50
normal fold 54
normal lumen 48
normal luster, mucosa 52
normal mucosa 52
normal pancreatogram 132
normal peristalsis 50
normal sphincteric region 50
normal vascular pattern 64
——, esophagus 90
nostril 2
not uniform lesions, pancreas 142
"notch" (of the common bile duct) 19
NSAID-induced colopathy 122

【O】

oblique ulcer (scar), small intestine 108
oblique-viewing 184
obstructed biliary tract 126
obstructed pancreatic duct 134
obstructing gallstone 130
obstructing pancreatic stone 136
obstruction
——, biliary tract 126
——, lumen of digestive tract 48
——, lumen of small intestine 102
——, lumer of large intestine 110
——, pancreatic duct 134
occluded biliary tract 126
occluded pancreatic duct 134
occluded sphincteric region 50
occlusion
——, biliary tract 126
——, lumen of digestive tract 48
——, lumen of small intestine 102
——, lumer of large intestine 110
——, pancreatic duct 134
occupation, serosa 68
occupied serosa 68
omental bursa 24
omentopexy, laparoscopic 184
oozing bleeding 56, 89
oozing hemorrhage 57
opening of the pancreatic duct 134
opobezoar 93
optical digital method 166
optical method, endomicroscopy 168
oral cavity 2
oral protrusion, duodenal papilla 10
organs in the pelvis 34
organs in the retroperitoneal space 160
oriental pyogenic cholangitis 129
orifice of the duodenal papilla, pancreatic duct 134
oropharynx 4
other combination stone 131
other nodules 152
other pathological condition 138
outer side, duodenum 8, 40
ovarian aplasia 161
ovarian-type stroma of MCNs 139
ovary 34, 160
overtube 190

【P】

palatine arch 4
palatine tonsil 4
pale, mucosa 52
palisade vessels, esophagus 90
pancreas 20, 32, 42, 132, 160
pancreas divisum 138
pancreas parenchyma 42

pancreat (ic) oduodenal region 20
pancreat (ic) ogastrostomy 138
pancreat (ic) ojejunostomy 138
pancreat (ic) olithiasis 140
pancreatic cancer 160
pancreatic carcinoma (or cancer) 136
pancreatic cyst 140, 160
pancreatic duct 22
pancreatic duct of the papillary region 21
pancreatic duct (al) system 22
pancreatic ductitis 140
pancreatic field 23
pancreatic fistula 134
pancreatic intraepithelial neoplasia 137
pancreatic juice 52, 134
pancreatic juice aspiration, by EUS 170
pancreatic parenchyma 22
pancreatic pseudocys (t PPC) 143
pancreatic stone (or calculus, concretion) 136
pancreatic tumor 160
pancreaticobiliary maljunction 128, 138
pancreatitis 140
—— with an inflammatory mass 140
pancreatogram 132, 169
pancreatoscope 188
pancreatoscopy 132, 164
panendoscope 186, 187
panendoscopy 162
pan-peritonitis 148
papilla of Vater 8, 40
papillary intervention 178
papillary orifice, duodenal papilla 10
papillary region, duodenum 18
papillary tumor 62
papilloma, esophagus 82
papillotome 190
papillotomy, endoscopic 178
papule 59, 63
paraesophageal hernia, esophagus 80
paraesophageal region 36
paraesophageal type of hiatus hernia 145
parapapillary diverticulum, duodenum 102
parasite 52
parasitic granuloma of stomach 99
paravariceal injection 181
parenchymal lesion of the pancreas 160
parenchymal nodules, liver 150
parenchymal tumor, liver 152
parietal pleura 23
parovarian cyst 161
pars glabra, cystic duct 14
pars spiralis, cystic duct 14
pars valvularis, cystic duct 14
partial hepatectomy, laparoscopic 184
partial hypoplasia, liver 150
partially-covered self-expandable metal stent 190
patch, liver surface 152
patchy reddening, stomach 92
patent anastomotic stoma 66
patent pancreatic duct 134
patient plate 190
Patterson-Kelly 症候群 81
pediatric endoscopy 162
pedunculated 59
pedunculated polyp 61
pedunculated protrusion 59
peliosis (hepatis) 152
pelvic organ (s) 34, 160
pelvis of the kidney 34
penetrated lesion, stomach 156
penetration 51
——, stomach 156
percutaneous cholangioscopy 165
percutaneous endoscopic gastrostomy (PEG) 182

percutaneous endoscopic transgastric jejunostomy（PEG-J） 183
percutaneous transesophageal gastrotubing（PTEG） 183
percutaneous transhepatic biliary drainage（PTBD） 163, 165
percutaneous transhepatic cholangioscope 189
percutaneous transhepatic cholangioscopy（PTCS） 164, 165
percutaneous transhepatic cholecystoscope 189
percutaneous transhepatic cholecystoscopy（PTCCS） 164, 165
percutaneous transhepatic gallbladder drainage（PTGBD） 165
perforated diverticulum 70
perforated lesion, stomach 156
perforation 50
——, diverticulum 70
——, fistula of small intestine 102
——, large intestine 110
——, stomach 156
perforative diverticulum 70
periampullary region 42
——, duodenum 40
——, pancreas 20
perianal region 44
perianal skin 12
peribiliary region 42
pericardium 36
pericholecystic abscess 154
pericholecystic lesion 154
pericholecystitis 154
pericolonic region 44
pericostal tuberculosis 142
periduodenal region 40
periesophageal region 36
perigastric region 38
perihilar bile duct 18
peripancreatic region 42
periportal limiting plate 29
periportal reddish marking, liver surface 152
perirectal region 44
peristalsis
——, esophagus 82
—— of the wall 50
peritoneal cavity 22, 66, 68, 148
peritoneal reflection, rectum 12
peritoneoscopy 164
peritoneum 32, 148
peritonitis 148
peritonitis carcinomatosa 148
peritonitis tuberculosa 148
peroral cholangiopancreatoscopy 165
peroral cholangioscope 189
peroral cholangioscopy 164
per-oral endoscopic myotomy（POEM） 182
peroral pancreatoscopy（POPS） 164
persistent pancreatitis 141
petechia 56
——, peritoneum 150
Peutz-Jeghers syndrome 104, 116
Peutz-Jeghers 症候群 104, 116
Peyer's patch, small intestine 102
pHAb 31
pharyngeal tonsil 4
pharyngoesophageal junction 4
pharynx 4
phlebectasia 62
phlegmonosa change in the serosa 68
phlegmonous change in the serosa 68
photocoagulation 178
photodynamic therapy 182
Phrygian cap gallbladder 128
phytobezoar 93
piecemeal EMR 180
pig tail 型ステント 190
pigtail type 190
pigeon chest 142

pigment gallstone　131
piriform fossa　4
piriform recess　4
piriform sinus　4
pit pattern 分類　113
pit，large intestine　112
placement，by therapeutic endoscopy　176
plaque　63
——，lung，trachea，bronchus　146
plaques，spleen　158
plastic stent　190，191
pleura　22
pleural cavity　66，142
pleural dissemination　144
pleural effusion　144
pleural mesothelioma　144
pleural metastasis　144
pleural sac　36
pleural tumor　144
pleuritis　144
Plummer-Vinson 症候群　81
plurilobar spleen　158
pneumatocele　146
——，peritoneum　148
pneumatosis coli，large intestine　120
pneumatosis cystoides intestinalis
——，large intestine　120
——，small intestine　106
pneumobilia　130
pneumocholangiogram　131
pneumonia　146
pneumothorax　144
point　63
polycystic liver　152
polyp　58
——，large intestine　112
——，small intestine　104
——，stomach　94
polyp detection rate　124
polyp of the bile duc（t or gallbladder）　132
polypectomy　180
polyp-like　59
polyp-like lesion　58
polypoid lesion　59
polyposis　58
——，large intestine　116
——，small intestine　104
polypous　59
polypous tumor　61
pooling dilatation，pancreatic duct　134
Pooper's ligament　32
poor distensibility of the wall　50
porcelain gallbladder　128，154
porcelaneous gallbladder　154
port　193
porta hepatis　16
——，hepatic hilum　28
portal area　28
portal confluence　38，46
portal hypertensive gastropathy（PHG）　100
portal vein　38，46
portal venous branch　28，31
portal venous system，liver　28
positional anomaly　68
postbulbar area，duodenum　8
post-colonoscopy colorectal cancer （PCCRC）　124，125
postcricoid area　4
posterior area，pancreas　20
posterior aspect，duodenum　8，40
posterior commissure，glottis　6
posterior mediastinum　67
posterior pharyngeal wall　4
posterior wall
——，duodenum　8，40
——，gallbladder　14
——，pharynx　4
——，rectum　12

——, stomach 6, 38
post-hemorrhagic period 55
postoperative cholangioscopy 165
postoperative endoscopy 162
postoperative state 66, 70, 100
——, biliary tract 132
——, esophagus 92
——, large intestine 122
——, pancreas 138
——, small intestine 108
postoperative stenosis
——, large intestine 110
——, small intestine 100
postoperative stomach 100
postoperative stricture of the anastomotic site 132
pouchitis 122
pPVb 31
pre (-) cut, endoscopic 178
precutting EMR 180
precutting, endoscopic 178
preoperative endoscopy 162
preparation 124
prepyloric region 6, 38
preterminal hepatic artery branch 28, 31
preterminal portal vein branch 28, 31
primary branch, pancreas 22
primary sclerosing cholangitis 126, 154
primary tumor
——, liver 152
——, pleura 144
proctitis 122
proctoscope 188
proctosigmoidoscopy, proctoscopy 162
prolapse 48
——, esophagus 80
——, large intestine 110
prolapsus ani 110
prostate gland 44
prosthesis 190
protein plug, pancreas 136
protruding lesion 58, 61, 70, 146
——, esophagus 82
——, gallbladder/extrahepatic biliary tract 154
——, large intestine 112
——, mediastinum 144
——, ovary 160
——, pancreas 160
——, peritoneum 148
——, pleura 144
——, small intestine 102
——, small intestine, large intestine 156
——, stomach 156
——, thoracic esophagus 148
——, wall of the pleural cavity 142
protruding (or elevated) lesion of the liver 150
protruding (or elevated) parenchymal lesion, spleen 158
protrusion 58, 61, 70
——, esophagus 82
——, gallbladder 130
——, pancreas 136
——, small intestine 102
proximal branch of vagus nerve 24
proximal bulb, duodenum 40
proximal ileum 10
proximal jejunum 10
proximal vagus branch 24
pruned-tree appearance 127
pseudocyst, pancreas 140, 160
pseudodepressed type, laterally spreading tumor 116
pseudodiverticulum 48
pseudomelanosis 52
pseudomembrane 62, 63
pseudomembranous colitis 122
pseudomyxoma peritonei 148

pseudopolyp 59, 62
pseudopylorus 92
PTBD 163, 165
PTCCS 165
PTCS 165
PTEG 183
PTGBD 165
pubic tubercle 34
puborectal muscle 44
pulmonary agenesis 146
pulmonary artery 36, 46
pulmonary blebs 146
pulmonary hypoplasia 146
pulmonary suppuration 146
pulmonary tuberculosis 146
pulsating bleeding 56
punched-out ulcer
——, large intestine 120
——, small intestine 108
pure cholesterol stone 131
pure pancreatic juice 134
purulent fluid 66
pus 52, 66
push enteroscopy 162
PVb 31
pyloric stenosis 92
pylorus 6, 38
pyogenic cholangiohepatitis 129
pyosalpinx 161
pyothorax 144
pyriform recess 4
pyriform sinus 4

【Q】

quadrate lobe, liver 26
quality indicator 124

【R】

RAC 8
radial ultrasound probe 188
radiating folds 54, 65
radiation proctitis 122
radiofrequency ablation (RFA) 182
radiolucent gallstone 130
radiolucent pancreatic stone 136
radiopaque gallstone 130
radiopaque pancreatic stone 136
radiotransparent gallstone 130
recent bleeding 57
reconstruction, by therapeutic endoscopy 176
rectal ampulla 12
rectal cancer 116
rectal column 12
rectal prolapse 110
rectal rigid blind ultrasound probe 188
rectal valve of Houston 12
rectosigmoid colon 12
rectosigmoid junction 44
rectum 12, 44
rectum above the peritoneal reflection 12
rectum below the peritoneal reflection 12
recurrent nerve 22
recurrent pyogenic cholangitis 128
red color sign 89
red plug 89
red streak, stomach 92
red wale marking (RWM) 89
reddening, mucosa 52
reddish marking, liver 152
redness
——, mucosa 52
——, stomach 92
reducible 71
reduction 176
reflux 50
reflux esophagitis 90

regular arrangement of collecting venule (s)　8, 9
remnant stomach　100
removal, by therapeutic endoscopy　176
renal artery　38, 46
renal impression, liver　28
renal pelvis　34
renal vein　38
reopenable clip　190
repositioning　176
resection, by therapeutic endoscopy　176
residual cystic duct, postoperative　132
residual stone, gallbladder　130
retained stone, gallbladder　130
retractor　192
retrieval balloon catheter　190
retrieval, by therapeutic endoscopy　176
retrograde peristalsis　50
reversible (functional) narrowing　100
——, lumer of large intestine　110
rib fracture　142
ridge formation (of the duodenal bulb), small intestine　102
Riedel's lobe　150
Riedel 葉　150
right adrenal gland　40
right anterior segment of liver　27
right anterior-inferior segmental duct, hepatic duct　16
right anterior-superior segmental duct, hepatic duct　16
right colonic flexure, colon　10
right crus of diaphragm　25
right hepatic artery　44
right hepatic duct　14
right kidney　40
right lateral wall, rectum　12
right lobe
——, liver　26
—— of liver　38, 42
right posterior segment of liver　27
right posterior-inferior segmental duct, hepatic duct　16
right posterior-superior segmental duct, hepatic duct　16
right triangular ligament　30
rigid endoscope　186
rigid esophagoscope　187
rigid wall　50
——, pancreatic duct　134
rigidity　50
ring　48
——, esophagus　80
ropeway enteroscopy　162
rough-surfaced mucosa　52
round ligament　160
—— of uterus　34
Roux-en-Y reconstruction　100
rudimentary uterus　161
ruga　54
——, stomach　94
rugae　55
rupture, diverticulum　70
ruptured diverticulum　70
RWM　89

【S】

saccular dilatation
——, pancreatic duct　134
—— of biliary tract　126
saccule　135
saliva　50
salpinx　34, 160
Santorini 管　22, 23, 141
sarcoma　62
scanning method　170
scar
——, large intestine　120

——, serosa 68
——, spleen 158
scarred liver 154
scarred serosa 68
Schatzki ring 80
Schatzki 輪 80
Schindler 99
scirrhus, stomach 96
sclerosant 179
sclerosing agent 179
sclerosis, gallbladder 154
sclerotic wall of the biliary tract 124
second order branch, pancreas 22
second part, duodenum 8, 40
secondary branch, pancreas 22
secondary tumor, liver 152
secretion 52
segmental lesion, pancreas 142
selective vagotomy 184
self-emptying blind pouch, postoperative 108
self-expandable metal stent 190, 191
self-filling blind pouch, postoperative 108
semilunar fold 10
semipedunculated polyp 61
semipedunculated protrusion 59
sequential color illumination method 187
serosa 2
——, stomach 24
serosal invasion 70
serous ascites 67
serous cystadenoma 137
serous neoplasms (SNs) of pancreas 137
serous hemorrhagic (bloody) ascites 67
serrated adenoma 115
serrated polyposis syndrome, large intestine 116
sessile polyp 61
sessile protrusion 59
sessile serrated lesion 114
severe 90
severe lesions, pancreas 142
severity, pancreas 142
sHAb 31
shark fin papillotome 191
shimofuri, small intestine 106
short double-balloon endoscope (short DBE) 186
short gastric artery 25
short gastric vein 25
short segment Barrett's esophagus 92
short single-balloon endoscope (short SBE) 186
shortening of the lesser curvature, stomach 92
side branch, pancreatic duct 22, 42
side-viewing 184
sigmoid colon 10, 44
sigmoid volvulus 177
sigmoidoscope 188
sigmoidoscopy 162
simple dilatation, pancreatic duct 134
simple papula 61
simple stenosis
——, large intestine 110
——, small intestine 100
single protrusion, spleen 158
single ulcer of stomach 99
single-balloon colonoscopy (SBC) 164
single-balloon endoscope (SBE) 186
single-balloon enteroscopy (SBE) 162
single-balloon enteroscopy (endoscopy) assisted ERCP (SBE-ERCP, SBERCP) 171
sinus tract of biliary tract, postoperative 132
skip lesion
——, large intestine 120

——, small intestine 108
sliding hernia, esophagus 80
sliding type of hiatus hernia 145
slough 67
sludge 52
small bowel 24
small caliber endoscope 186
small intestine 8, 24, 100, 156
smooth mucosa 59
smooth portion, cystic duct 14
smooth wall of the biliary tract 124
smooth-surfaced mucosa 52
snare 190
snare biopsy 164
SNs 137
soft 71
soft palate 4
Sohma papillotome 191
Solid-pseudopapillary neoplasm 137
solitary cyst 152
solitary gallstone 130
solitary ulcer, large intestine 120
solitary venous dilatation, esophagus 90
sonde enteroscopy 162
source of bleeding 58
spasm
——, esophagus 80
——, lumen of digestive tract 48
spastic sphincteric region 50
spastic wall 50
specific terms for therapeutic endoscopy 176
spermatic cord 32
spermatic vessels 34
sphincter of Oddi, gallbladder 130
sphincter region incompetence 50
sphincteric region 50
——, esophagus 80
sphincterotome 190
spindle-shaped dilatation of biliary tract 126
spine 36
spiral biliary tract 128
spiral enteroscope (SE) 186
spiral enteroscopy 162
spiral enteroscopy using a specialized overtube 162
spiral valve, cystic duct 14
spleen 32, 38, 158
splenectomy, laparoscopic 184
splenic artery 38, 46
splenic flexure, colon 10
splenic hilum 38
splenic vein 38, 46
splenocolic ligament 26
splenomegaly 158
splinting tube 190
spontaneous rupture of the esophagus 146
spot 63, 70
——, pleura 144
spotted 70
spotty lesions, pleura 144
spotty redness, stomach 92
sprayer 190
spraying of hemostyptics 178
spurting bleeding 56, 89
spurting hemorrhage 57
sPVb 31
squamocolumnar junction 6
SSA/P 115
SSBE 92
SSL 114
stage classification of gastric ulcer 101
staining method 166
staple 190
steatonecrosis, peritoneum 148
Stein-Leventhal ovary 161
Stein-Leventhal 卵巣 161
stenosis

——, biliary tract　126
——, esophagus　80
——, large intestine　110
——, lumen of digestive tract　48
——, lumen of small intestine　100
——, pancreatic duct　134
stenotic anastomotic stoma　66
stenotic biliary tract　126
stenotic pancreatic duct　134
stenotic sphincteric region　50
stent　190
stent deployment　182
——, by therapeutic endoscopy　176
stent placement, by EUS　170
stenting　182
——, by therapeutic endoscopy　176
stereoscopic endoscope　186
steroid ulcer of stomach　99
stiffening tube　190
stigmata of bleeding　55, 56
stoma, postoperative　122
stomach　6, 24, 36, 92, 154
stomal polypoid hypertrophic gastritis　100
stomal stricture, postoperative　132
stomal ulcer
——, small intestine　108
——, stomach　100
stone　52
stone-like consistency　71
stone treatment　178
stony hard　71
straight 型ステント　190
straight type　190
strangulated serosa　68
strangulation, serosa　68
strawberry gallbladder　131
stress ulcer of stomach　99
stricture　92
——, biliary tract　126
——, esophagus　80
——, large intestine　110
——, lumen of digestive tract　48
——, lumen of small intestine　100
——, pancreatic duct　134
—— due to injury, biliary tract　128
—— of the esophagus　148
strip biopsy　181
subcapsular hepatic artery branch　28, 31
subcapsular portal vein branch　28, 31
subcarina　36
subepithelial lesion（SEL）　62, 99
subepithelial tumor（SET）　62
subglottis　6
submucosa　2
submucosal dissection　93
submucosal tattooing　167
submucosal tumor　61, 62, 70
——, large intestine　116
——, small intestine　104
——, stomach　98
subsegmental lesions, pancreas　142
subserosa　2
suction biopsy　164
suffusion　56
——, peritoneum　150
sugar-icing liver　150
sugar-icing spleen　158
superficial carcinoma of the esophagus　87
superficial esophageal cancer　84
superficial lymphatic vessel, liver　30
superficial vessel, liver　28
superior area, pancreas　20
superior aspect, duodenum　8, 40
superior bile duct　16
superior duodenal angle　8, 40
superior duodenal angulus　8, 9, 40
superior duodenal flexure　8, 9
superior meatus　2
superior mediastinum　67

superior mesenteric artery　38，46
superior mesenteric vein　38，46
superior turbinate　2
superior vena cava　36，46
superior wall　9
——，duodenum　8，40
——，pharynx　4
supernumerary ovary　161
supraglottis　4
suprarenal gland　34
surface　74
——，liver　26
—— of the liver　27
surface pattern，large intestine　112
surface structure，mucosa　52
surgery　192
suture　52
——，by therapeutic endoscopy　176
suture granuloma，small intestine　108
suture line　66，70
——，stomach　100
suture line ulcer of small intestine　109
suture thread　52
swelling serosa　68
swelling，mucosa　54
swollen serosa　68
swollen，mucosa　54
symmetric（al）stenosis
——，large intestine　110
——，small intestine　102
symmetric（al）thickening，wall of the biliary tract　124
symmetrically-located ulcers of stomach　99
S 状結腸　10，44
S 状結腸鏡　162，188
S 状結腸捻転症　177

【T】

tail　42
——，pancreas　20，32
tapering
——，fold　54
——，pancreatic duct　134
tarry stool　112
tattooing　176
T-cell lymphoma　120
tear　66
telangiectasia　64，120
teleangiectasia
——，esophagus　90
——，large intestine　120
tenia coli　12，26
tense　71
terminal hepatic arteriole　28，31
terminal ileum　10，24，44
terminal portal venule　28，31
terminal portion，common bile duct　18
terminal segment，common bile duct　18
tertiary branch，pancreas　22
testicular vessels　35
texture，mucosa　52
THA　31
the eighth layer　76
the eleventh layer　76
the fifth layer　76
the first layer　76
the fourth layer　76
the nineth layer　76
therapeutic endoscope　186
therapeutic endoscopy　176
therapeutic laparoscopy　182
therapeutic procedure of EUS　170
the second layer　76
the seventh layer　76
the sixth layer　76
the tenth layer　76
the third layer　76
the thirteenth layer　76
the twelveth layer　76

thick fold　54
thick mucosa　54
thickened fold　54
thickened mucosa　54
thickened serosa　68
thickening serosa　68
thickening wall of the biliary tract　124
thickening, gallbladder　154
thickness, mucosa　54
thin fold　54
third order branch, pancreas　22
third part, duodenum　8, 40
thoracic duct　36
thoracic esophagus　22, 146
thoracic wall　142
thoracoscopic surgery　184, 192
thoracoscopy　164
three-dimensional endoscope　186
three-dimensional ultrasound probe　188
tight adhesion　69
tone of the wall　50
tongue　2
tonsillar fossa　4
topical atrophy, liver　150
torsion, serosa　68
torsional serosa　68
tortuous biliary tract　128
tortuous main pancreatic duct　132
tortuous, fold　54
torus tubarius　4
total colonoscopy（TCS）　162
TPV　31
trachea　22, 36, 144
tracheobronchial diverticulum　80
traditional serrated adenoma, large intestine　114
transanal decompression tube　192
transanal endoscopic microsurgery（TEM）　182
transanal endoscopic tube decompression　182
transnasal（small-caliber）endoscope　186
transnasal endoscopy　162
transudate　66
transudative　66
transversalis fascia　34
transversalis muscle　34
transverse colon　10, 44
transverse part
──, duodenal　9
──, duodenum　8, 40
transverse folds of the rectum　12
transversus abdominis muscle　34
trauma, serosa　68
traumatic bleeding　58
traumatic change in the serosa　68
traumatic hernia of the diaphragm　145
traumatic stricture, biliary tract　128
traumatize, serosa　68
treatment for esophageal　180
treatment for tumor, by endoscopy　180
Treitz' ligament　8, 24, 40
Treitz 靱帯　8, 24, 40
trench ulcer of stomach　99
triangle of doom　34
trichobezoar　93
trickling hemorrhage　56
triplex gallbladder　129
trocar　192
true cyst, pancreas　160
truncal vagotomy　184
trunk of vagus nerve　24
tubal occlusion　161
tubal pregnancy　161
tuberculous peritonitis　148
tubular adenoma　114
tubulovillous adenoma　114
tumor　62, 70
──, esophagus　82
──, liver　152

——, ovary 160
——, peritoneum 148
——, pleura 144
——, serosa 68
——, small intestine 104
——, spleen 158
——, stomach 94, 156
—— of the bile duct (or gallbladder) 130
—— of the duodenal papilla, duodenum 104
—— of the esophagus 148
—— of the lung 146
—— of the pancreas 136, 160
tumor vessel 72
——, small intestine, large intestine 156
——, stomach 156
tumor forming 70
tumor-forming pancreatitis 140
tumorous 70
tumorous change in the serosa 68
tumorous lesion, large intestine 112
tumorous stenosis
——, large intestine 110
——, small intestine 100
tumorous stricture, biliary tract 128
tying device 192
T 細胞性リンパ腫 120
T チューブドレナージ 133

【U】

ulcer 66
——, large intestine 120
——, postoperative 108
——, small intestine 106
ulcer scar 66
——, small intestine 106
ulcerated 59
ulcerated stenosis
——, large intestine 110
——, small intestine 100
ulceration 64
——, esophagus 90
ulcerative colitis 122
ulcerative tumor 62
ulceriform tumor 61
ultra-micronodular lesion of the liver 151
umbilical ligament 34
umbilical portion 46
umbilicated papula 61
uncinate process, pancreas 20, 42
uncovered self-expandable metal stent 190
uncus, pancreas 20, 42
undermining 65
underwater endoscopic mucosal resection (UEMR) 180
underwater endoscopic submucosal dissection (UESD) 182
uneven mucosa 54
uneven wall, pancreatic duct 134
unicornuate uterus 161
unilateral thickening, wall of the biliary tract 124
union of the cystic and common hepatic ducts 18
unopacified cholangiogram 124
unopacified pancreatogram 132
upper bile duct 16
upper body, stomach 6, 38
upper esophageal sphincter 80
upper gastrointestinal endoscope 186
upper gastrointestinal endoscopy 162
upper gingiva 2
upper lip, ileocecal valve 10
upper thoracic esophagus 6
ureter 34
urinary bladder 34, 44
urological surgery, laparoscopic 184

uterus 34, 44, 160
uvula 4

【V】

vagi 22
vagus 22
vagus branch 24
vagus nerve 22
vagus nerve trunk 24
vallecula 4
valvular portion, cystic duct 14
varices 62, 70
——, large intestine 120
——, small intestine 106
variegated, mucosa 52
varix 62, 70
vas deferens 34
vascular abnormality, lung, trachea, bronchus 146
vascular disturbance 154
——, gallbladder 148
——, peritoneum 156
——, small intestine, large intestine 156
——, stomach 65
vascular ectasia
vascular lesion
——, small intestine 108
——, stomach 100
vascular malformation 65
vascular pattern 62, 64
——, esophagus 90
vascular protrusion 62, 70
——, esophagus 84
——, of the pancreatic duct 138
——, small intestine 106
vascular ring, esophagus 80
vascular structures 44
vegetant or fungating tumor 61
ventral pancreatic duct 22
ventral pancreatitis 140, 141
ventricular bands 6
Veress needle 192
vermiform appendix 10, 24
verrucous gastritis 98
vessel pattern, large intestine 112
vestibule of nose 2
video capsule endoscopy 163
villi, small intestine 102
villous 59
villous adenoma 114
villous tumor 61, 62
——, large intestine 116
visceral pleura 23
viscous pancreatic juice 134
visible vascular pattern 64
visible vessel 57
vocal cords 6
voluted serosa 70
volution, serosa 70
volvulus 70
——, large intestine 110
von Petz' clip 53

【W】

wall
——, biliary tract 124
——, digestive tract 48
——, esophagus 80
——, large intestine 110
——, small intestine 100
——, stomach 92
—— and lumen, pancreatic duct 132
—— of the gallbladder 14
—— of the hepatic side, gallbladder 14
—— of the pancreatic duct 132, 134
—— of the peritoneal side, gallbladder 14
walled-off necrosis (WON) 142, 143

water exchange method　164
water immersion method　164
water repletion method　170
web　48
——，esophagus　80
white plug　89
white spot，small intestine　106
white villi，small intestine　106
whitish marking，liver　152
widely-opened pancreatic duct　134
Winslow 孔　25
Winslow 膵　21
wireless capsule endoscopy　163
Wirsung 管　22
with sphincterotomy，lithotomy　179
withdrawal time　124
without sphincterotomy，lithotomy　179

【X】

xanthogranulomatous cholecystitis　124
xanthoma，stomach　98
X 線透過性（非陽性）　136
X 線透過性の胆石　130
X 線非透過性（陽性）　136
X 線不透過性の胆石　130

【Y】

yersinia enteritis　122

【Z】

Zenker's diverticulum　80
Z-line　6